Collection
CUISTOT

Salades

MODUS VIVENDI

© 2011 Anthony Carroll, pour l'édition originale
© 2011 Les Publications Modus Vivendi inc., pour l'édition française

L'édition originale de cet ouvrage est parue chez R&R Publications Marketing PTY Ltd
sous le titre *the complete series Simply salad*.

LES PUBLICATIONS MODUS VIVENDI INC.
55, rue Jean-Talon Ouest, 2e étage
Montréal (Québec) H2R 2W8
CANADA

www.groupemodus.com

Directeur éditorial : Marc Alain
Traduction française : Germaine Adolphe
Design graphique : Émilie Houle
Design de la couverture : Catherine Houle

ISBN 978-2-89523-664-1

Dépôt légal – Bibliothèque et Archives nationales du Québec, 2011
Dépôt légal – Bibliothèque et Archives Canada, 2011

Nous reconnaissons l'aide financière du gouvernement du Canada par l'entremise du Fonds du livre du Canada
pour nos activités d'édition.

Gouvernement du Québec – Programme de crédit d'impôt pour l'édition de livres – Gestion SODEC

Imprimé à Singapour

TABLE DES MATIÈRES

Introduction

Ce livre réserve d'agréables surprises aux personnes qui pensent que les salades ne peuvent être servies qu'en été ou qui voient la salade comme une simple verdure d'accompagnement.

Les salades se dégustent en toutes saisons. Les salades vertes toutes simples, arrosées d'une vinaigrette spéciale, ou les salades de légumes mélangés accompagnent admirablement la viande, le poulet, le poisson, les omelettes et les quiches, quel que soit le moment de l'année.

Entières ou déchiquetées, les feuilles ajoutent de la couleur et de la saveur aux salades. Émincées ou disposées en coupelles, elles jouent un rôle important dans la présentation des plats froids à base de légumes, de viande, de volaille ou de poisson.

Le secret d'une salade réussie est simple. Choisissez des ingrédients frais, non tavelés, et préparez-les de façon créative. Combinez soigneusement les saveurs et les textures, et utilisez toujours la vinaigrette ou la mayonnaise appropriée.

Les salades proposées dans ce livre sauront vous séduire; elles sont faciles à réaliser, malgré la variété d'ingrédients qu'elles contiennent. Les aliments sains se présentent sous diverses formes, mais rarement sont-ils aussi accessibles, savoureux ou sains que lorsqu'ils viennent du jardin ou de chez le maraîcher.

Les fruits et légumes frais sont relativement bon marché, faciles à apprêter et pleins de fibres et de substances nutritives. En plus de leurs merveilleuses couleurs, ils offrent une vaste gamme de goûts et de textures, et apportent de l'énergie durable, contrairement aux collations sucrées.

Il n'est donc pas étonnant que les salades, simples ou soigneusement composées, fassent de plus en plus partie intégrante de notre alimentation quotidienne. Il est très facile d'introduire des aliments crus sous forme de salade servie en entrée, en accompagnement ou à la française, juste avant le dessert, pour nettoyer le palais tout en évitant un conflit entre la vinaigrette et le vin.

Une salade consistante peut constituer un repas en soi, peu importe la saison. Si vous n'avez jamais goûté à une salade tiède, la Salade d'agneau et de couscous à l'origan vous fera découvrir le contraste des textures et des températures. Par ailleurs, si les salades de fruits sont traditionnellement consommées en dessert, celles aux fruits, comme la Salade de papaye verte vietnamienne, font aussi d'excellents hors-d'œuvre.

LES LÉGUMES-FEUILLES

Au cours des dernières années, la variété des légumes à salade s'est tellement élargie qu'une visite chez le maraîcher ou au rayon des produits frais du supermarché peut devenir une expérience inattendue. Le guide qui suit vous aidera à mieux connaître certains de ces légumes-feuilles à l'allure exotique.

Endive

Parfois appelée chicorée de Bruxelles ou witloof, l'endive se consomme crue ou cuite. Avec ses feuilles blanches aux bouts jaunes verdâtres, serrées et lisses, elle ressemble à une pomme de laitue allongée et ferme. Witloof signifiant « feuilles blanches » en flamand, recherchez l'endive la plus blanche possible. Ce légume un peu amer se marie bien avec toutes les saveurs.

Chicorée frisée

La chicorée frisée est un autre membre de la famille des chicorées. Ses grandes feuilles ondulées et finement dentelées, au goût légèrement amer, vont du jaune-vert pâle au vert foncé. Utilisez les feuilles et les tiges plus pâles du cœur; faites-en un lit de verdure pour accueillir une salade à la viande ou au poulet, ou mélangez-les avec d'autres feuilles de laitue.

Laitue beurre

Il existe plusieurs sortes de laitue beurre, dont la laitue Bibb et la laitue Boston. Ces petites laitues se distinguent par la tendreté de leurs feuilles et la douceur de leur goût. Souvent produite en culture hydroponique, la laitue beurre n'a pas le craquant de la laitue iceberg ou de la laitue romaine, mais elle a sa place dans les salades mélangées.

Laitue romaine

La laitue Cos, ainsi appelée par les Romains qui l'auraient découverte sur l'île grecque du même nom, a été renommée laitue romaine par les Anglais et les Européens. Elle a une longue tête de feuilles ovales vert foncé et un cœur ferme vert pâle. Savoureuse et croquante, elle est l'ingrédient vedette de la fameuse salade César.

Laitue pommée

En Amérique du Nord, la laitue iceberg est la plus populaire et la plus connue des laitues pommées. Ses feuilles croquantes forment une boule autour d'un cœur ferme et sucré. Elle est à la base de nombreuses salades, car elle se mélange bien avec d'autres laitues et légumes verts.

Laitues rouges

Parmi les plus belles laitues se trouvent la mignonnette, la lollo rossa et la feuille de chêne rouge. Elles se caractérisent par leurs petites feuilles tendres de couleur rose à rouge. Ces laitues à la saveur délicate sont généralement interchangeables dans une recette; leur présence ajoute de la couleur et de l'intérêt à une salade.

Chicorée rouge

La chicorée rouge est la laitue de prédilection en Italie, où on l'appelle radicchio. Ses feuilles de couleur rouge betterave, à nervures veinées de blanc, forment une pomme ferme au goût prononcé et légèrement amer. La chicorée de Vérone et la chicorée de Trévise sont deux variétés de radicchio.

Roquette

La roquette est une plante dont les petites feuilles vert foncé ont une saveur poivrée; on les consomme de préférence alors qu'elles sont encore jeunes. La roquette poussait autrefois à l'état sauvage dans le bassin méditerranéen; c'était une laitue prisée des anciens Romains. Bien que facile à cultiver, elle demeure rare dans beaucoup de pays. N'hésitez pas à l'inclure dans vos salades; elle en vaut la peine.

Épinards

Les jeunes épinards frais, vert foncé, sont délicieux crus. L'une des salades d'épinards les plus populaires se compose de feuilles grossièrement déchirées, de morceaux de bacon croustillants et de croûtons, le tout assaisonné de vinaigrette à base de jus de citron, de poivre noir du moulin et de jus de cuisson du bacon.

Cresson

Le cresson se reconnaît par ses petites feuilles rondes et lisses, ses tiges croquantes et son goût légèrement piquant et poivré. Les feuilles et les tiges tendres se consomment crues en salade et les plus coriaces, cuites dans une soupe. Depuis l'Antiquité, on apprécie le cresson autant pour ses vertus alimentaires que médicinales. Il se marie bien avec d'autres légumes plus doux et constitue une bonne garniture pour les salades et les sandwichs. Le cresson ne se conserve pas bien. Placez la botte debout dans un contenant rempli d'eau, recouvrez-la d'un sac de plastique et réfrigérez. Changez l'eau tous les jours pour préserver sa fraîcheur.

LES LÉGUMES-FEUILLES

Les légumes-feuilles, tels que la laitue et la chicorée, forment la base de nombreuses salades. Toutefois, il ne faut pas oublier les autres légumes qui les agrémentent.

Chou pommé

Le chou pommé blanc, rouge ou vert est l'une des plus anciennes plantes cultivées comme légumes. Cru et finement émincé, il est l'ingrédient clé de la traditionnelle salade de chou. Le chou rouge se mange généralement cuit, mais il est aussi délicieux cru, émincé et mélangé avec le chou vert. Le chou se conserve dans un sac de plastique placé dans le bac à légumes du réfrigérateur.

Poivron rouge, vert ou jaune

Le poivron cru, tranché ou haché ajoute de la couleur et du croquant aux salades; le poivron grillé en fait une garniture intéressante. Choisissez toujours des poivrons bien formés et fermes, avec une peau lisse et brillante. Évitez les poivrons meurtris, ternes ou ridés. Pour parer un poivron, retirez le pédoncule, les graines et les membranes blanches. Les poivrons se gardent de 5 à 7 jours dans le bac à légumes du réfrigérateur.

Céleri

Détaillez le céleri en tranches, en bâtonnets ou en branches bouclées et utilisez ses jolies feuilles goûteuses comme garniture.

Concombre

Le concombre anglais, le concombre libanais et le concombre américain sont les variétés les plus courantes. Il ne faut peler un concombre que si sa peau est épaisse ou amère, car on dit qu'elle rend le fruit plus digeste. Le concombre, hormis les variétés jaunes ou blanches, doit avoir une peau verte brillante, à l'apparence ferme et fraîche.

Oignon

Coupés en rondelles ou hachés, tous les types d'oignons peuvent être utilisés crus dans les salades ou comme garniture. Les oignons blancs et jaunes ayant un goût fort et piquant, il faut en mettre avec modération. L'oignon rouge, en revanche, est un oignon doux qui donne une jolie couleur à n'importe quelle salade. De leur côté, les ciboules ou les oignons verts apportent une saveur d'oignon fraîche et délicate.

Radis

Entiers, tranchés, hachés ou râpés, ces petits bulbes rouges croquants méritent une place dans les salades. Choisissez des radis aux feuilles à l'apparence fraîche et aux bulbes bien colorés.

Graines germées

Il y a un certain nombre de variétés de graines germées, dont les plus connues sont la luzerne et les germes de haricot. Conservez les graines germées dans un sac de plastique ou dans leur contenant d'origine.

Tomate

La tomate doit avoir une belle couleur et une chair ferme. Entières ou coupées en deux, les tomates cerises et les tomates piriformes jaunes sont aussi des ingrédients de salade populaires.

Une laitue de culture hydroponique dure plus longtemps, car elle pousse encore au moment où vous l'achetez, et elle continuera à le faire si vous la placez à l'intérieur d'un sac de plastique disposé dans le bac à légumes du réfrigérateur. Le nombre croissant de variétés cultivées en serre hydroponique permet la production de salades fraîches tout au long de l'année.

La laitue se conserve au réfrigérateur; mettez-la entière dans un sac de plastique ou un contenant doté d'un couvercle.

Pour préparer la laitue, coupez la base à l'aide d'un couteau en acier inoxydable, puis séparez les feuilles et passez-les rapidement sous l'eau courante. Secouez les feuilles pour enlever l'excédent d'eau et séchez-les avec un torchon. Sinon, laissez-les s'égoutter dans une passoire ou essorez-les à l'aide d'une essoreuse à salade.

N'ajoutez la vinaigrette qu'au moment de servir, car plus les feuilles seront en contact avec la vinaigrette, plus elles ramolliront.

POISSONS ET FRUITS DE MER

Comme il se doit, ce livre de recettes de salades regorge de plats à base de légumes. Toutefois, pour une question d'équilibre, nous avons inclus un chapitre de salades aux poissons et fruits de mer. Savamment agencées, elles régaleront les yeux, combleront l'appétit et réjouiront les convives. De plus, les produits de la mer occupent une très bonne place sur l'échelle nutritionnelle.

KOKODA FIDJIEN

1¼ kg (2½ lb) de poisson blanc ferme

250 ml (1 tasse) de jus de lime ou de citron frais

300 ml (10 oz) de lait de coco en conserve

Sel et poivre noir du moulin

1 petit poivron rouge coupé en petits dés

1 petit poivron vert coupé en petits dés

1 petit piment rouge émincé

1 tomate ferme coupée en petits dés

Rondelles de lime ou de citron

1 Couper le poisson en cubes de 1,2 cm (½ po) et mélanger avec 200 ml (7 oz) de jus de lime et la moitié du lait de coco. Saler et poivrer au goût. Bien remuer et laisser mariner 4 heures.

2 Lorsque le poisson est ferme et opaque (cuit), égoutter et jeter le liquide.

3 Mélanger le poisson égoutté avec les morceaux de poivron, de piment et de tomate. Incorporer le reste du lait de coco et de jus de lime.

4 Répartir dans des coupes et garnir de rondelles de lime ou de citron. Servir en entrée froide.

Salade de saumon mariné, au concombre et au daïkon

6 PORTIONS • 2 HEURES DE PRÉPARATION

700 g (1½ lb) de filets de saumon, coupe du centre

90 ml (6 c. à soupe) de mirin (vin de riz doux japonais)

45 ml (3 c. à soupe) de sauce soja japonaise

1 morceau de 5 cm (2 po) de gingembre râpé

5 ml (1 c. à thé) d'huile de sésame grillé

1 concombre anglais

5 ml (1 c. à thé) de sel de mer

15 ml (1 c. à soupe) de sucre semoule

45 ml (3 c. à soupe) de vinaigre de riz

Chicorée frisée, bien lavée et séchée

1 daïkon (radis blanc) coupé en fine julienne

1. Demander au poissonnier de trancher le saumon finement, à la manière d'un saumon fumé. Sinon, enlever la peau et émincer le poisson, en coupant si possible en biais.

2. Battre ensemble le mirin, la sauce soja, le gingembre et l'huile de sésame. Réserver 30 ml (2 c. à soupe) et verser le reste dans un bol peu profond. Ajouter le saumon tranché et laisser mariner 2 heures.

3. Entre-temps, peler le concombre et, à l'aide d'un économe ou d'une mandoline, détailler en longs rubans fins. Placer dans un bol. Mélanger ensemble le sel de mer, le sucre et le vinaigre de riz. Arroser le concombre de vinaigrette et bien remuer pour enrober les rubans.

4. Déposer les tranches de saumon marinées sur les assiettes. Placer la chicorée et le daïkon au centre, et entrelacer quelques rubans de concombre égouttés sur la salade. Asperger de marinade au mirin réservée.

SALADE DE TRUITE DE MER CARAMÉLISÉE SUR UN LIT DE VERMICELLES DE SOJA

4 PORTIONS • 35 MINUTES DE PRÉPARATION • 15 MINUTES DE CUISSON

30 ml (2 c. à soupe) d'huile d'olive
10 échalotes hachées
200 g (7 oz) de sucre brun
100 ml (3½ oz) de sauce de poisson
1 morceau de 8 cm (3 po) de gingembre frais coupé en julienne
10 petits piments coupés en deux, épépinés et coupés en julienne
30 ml (2 c. à soupe) de jus de lime
200 g (7 oz) de vermicelles de soja
Feuilles hachées d'une botte de coriandre
500 g (1 lb) de filets de truite de mer coupés en lanières de 2,5 cm (1 po) d'épaisseur

1 Chauffer l'huile d'olive et faire sauter doucement les échalotes, jusqu'à ce qu'elles soient dorées. Ajouter le sucre et chauffer jusqu'à dissolution. Cuire à feu moyen environ 5 minutes, en remuant, jusqu'à ce que le mélange soit caramélisé. Ajouter la sauce de poisson, le gingembre, les piments (en réserver un peu pour garnir) et le jus de lime. Bien remuer pour combiner. Garder au chaud.

2 Faire tremper les vermicelles dans l'eau chaude environ 10 minutes, jusqu'à ce qu'ils aient ramolli. Rincer à l'eau froide, égoutter, puis ajouter la coriandre (en réserver un peu pour garnir) et juste assez de sauce pour humecter le tout.

3 Entre-temps, griller les filets de poisson jusqu'à ce qu'ils soient tout juste cuits.

4 Déposer les vermicelles sur des assiettes de service. Garnir d'un morceau de poisson, de piment et de coriandre. Napper de sauce et servir.

SALADE DE CALMAR THAÏLANDAISE

4 PORTIONS • 30 MINUTES DE PRÉPARATION • 10 MINUTES DE CUISSON

3 blancs de calmars lavés	
185 g (6 oz) de haricots verts tranchés sur la longueur	
2 tomates coupées en quartiers	
1 petite papaye verte pelée, épépinée et râpée	
4 ciboules tranchées	
30 g (1 oz) de menthe fraîche	
30 g (1 oz) de coriandre fraîche	
1 piment rouge frais haché	

Vinaigrette à la lime

10 ml (2 c. à thé) de sucre brun
45 ml (3 c. à soupe) de jus de lime
15 ml (1 c. à soupe) de sauce de poisson

1. À l'aide d'un couteau bien aiguisé, ouvrir chaque blanc de calmar longitudinalement. Inciser en diagonale dans un sens puis dans l'autre, sans transpercer la chair, de façon à former un quadrillage de losanges.

2. Chauffer une poêle à fond cannelé ou à frire antiadhésive et cuire les calmars à feu vif de 1 à 2 minutes de chaque côté, ou jusqu'à ce qu'ils soient tendres. Retirer de la poêle et couper en lanières.

3. Placer les calmars, les haricots, les tomates, la papaye, les ciboules, la menthe, la coriandre et le piment dans un saladier de service.

4. Mettre tous les ingrédients de la vinaigrette dans un bocal à couvercle vissant et bien secouer pour mélanger. Verser sur la salade et remuer. Couvrir et laisser reposer 20 minutes avant de servir.

SALADE DE PÉTONCLES GRILLÉS

2 PORTIONS • 10 MINUTES DE PRÉPARATION • 8 MINUTES DE CUISSON

	Vinaigrette à la moutarde
10 ml (2 c. à thé) d'huile	45 ml (3 c. à soupe) de mayonnaise
2 gousses d'ail écrasées	15 ml (1 c. à soupe) d'huile d'olive
375 g (13 oz) de pétoncles nettoyés	5 ml (1 c. à thé) d'huile de sésame
4 tranches de bacon hachées	15 ml (1 c. à soupe) de vinaigre
Feuilles d'une laitue romaine	10 ml (2 c. à thé) de moutarde de Dijon
60 g (2 oz) de croûtons	
30 g (1 oz) de copeaux de parmesan	

1 Mettre tous les ingrédients de la vinaigrette dans un bol, bien mélanger et réserver.

2 Chauffer l'huile dans une poêle à feu vif. Ajouter l'ail et les pétoncles. Cuire en remuant pendant 1 minute, ou jusqu'à ce que les pétoncles soient tout juste opaques. Verser la préparation aux pétoncles dans un bol et réserver. Cuire le bacon dans la poêle en remuant pendant 4 minutes, ou jusqu'à ce qu'il soit croustillant. Retirer le bacon et laisser égoutter sur du papier absorbant.

3 Déposer les feuilles de romaine dans un grand saladier, arroser de vinaigrette et remuer pour enrober. Ajouter le bacon, les croûtons et le parmesan. Bien mélanger. Déposer les pétoncles sur la salade et servir.

SALADE DE SAUMON AUX LENTILLES

4 PORTIONS • 15 MINUTES DE PRÉPARATION • 5 MINUTES DE CUISSON

Feuilles d'une laitue romaine déchirées en gros morceaux

200 g (7 oz) de lentilles vertes cuites et égouttées

200 g (7 oz) de lentilles rouges cuites et égouttées

250 g (8 oz) de tomates cerises, coupées en deux

150 g (5 oz) de croûtons de blé entier

15 ml (1 c. à soupe) d'huile de piment ou d'huile végétale

375 g (13 oz) de filets de saumon, sans peau, coupés en lanières de 3 cm (1¼ po) de largeur

30 g (1 oz) de copeaux de parmesan

Poivre noir du moulin

Vinaigrette

125 ml (½ tasse) de mayonnaise

30 ml (2 c. à soupe) de bouillon de légumes

15 ml (1 c. à soupe) de moutarde à l'ancienne

15 ml (1 c. à soupe) de vinaigre de vin blanc

1 Mettre tous les ingrédients de la vinaigrette dans un bol, bien mélanger et réserver.

2 Disposer harmonieusement la laitue, les lentilles cuites, les tomates et les croûtons sur un plat de service. Réserver.

3 Chauffer l'huile dans une poêle à feu moyen. Ajouter le saumon et cuire, en retournant plusieurs fois, pendant 4 minutes ou jusqu'à ce qu'il soit cuit. Retirer de la poêle et déposer sur la salade. Arroser de vinaigrette et garnir de copeaux de parmesan. Poivrer au goût.

SALADE DE POIS CHICHES ET DE TRUITE

4 PORTIONS • 20 MINUTES DE PRÉPARATION

Feuilles d'une chicorée frisée	**Vinaigrette à la lime et au miel**
1 botte de roquette	125 ml (½ tasse) de yogourt nature
400 g (14 oz) de pois chiches en conserve rincés et égouttés	60 ml (¼ tasse) de menthe fraîche hachée
125 ml (4 oz) de fromage de chèvre aux herbes émietté	15 ml (1 c. à soupe) de cumin moulu
1 oignon rouge coupé en fines rondelles	15 ml (1 c. à soupe) de miel
250 g (8 oz) de truite fumée, sans peau ni arêtes, défaite en morceaux	15 ml (1 c. à soupe) de jus de lime
60 ml (¼ tasse) de basilic frais haché	
1 poivron rouge coupé en deux, grillé, pelé et tranché	

1 Disposer la chicorée et la roquette sur un plat de service. Garnir de pois chiches, de fromage, d'oignon et de truite. Parsemer de basilic et de tranches de poivron.

2 Mettre tous les ingrédients de la vinaigrette dans un bol, bien mélanger et en arroser la salade. Servir immédiatement.

Les pois chiches sont légèrement croquants et confèrent une saveur de noix aux salades, aux ragoûts et à d'autres mets salés. Les pois chiches secs peuvent remplacer les pois chiches en conserve. Pour les cuire, laisser tremper toute la nuit dans l'eau froide. Égoutter. Verser dans une grande casserole, couvrir d'eau froide et porter à ébullition à feu moyen. Baisser le feu et laisser mijoter de 45 à 60 minutes, ou jusqu'à tendreté. Égoutter et laisser refroidir.

SALADE DE CALMAR AU MIEL

6 PORTIONS • 20 MINUTES DE PRÉPARATION • 1 HEURE 30 MINUTES DE CUISSON

6 petits blancs de calmars coupés en rondelles	**Vinaigrette à l'orange**
125 ml (½ tasse) de farine	60 ml (¼ tasse) d'huile d'olive
Huile d'olive pour friture rapide	15 ml (1 c. à soupe) de jus d'orange
Feuilles de laitue au choix	15 ml (1 c. à soupe) de vinaigre
250 g (8 oz) de tomates cerises coupées en deux	5 ml (1 c. à thé) de miel
1 oignon tranché fin	1 gousse d'ail écrasée
	2 ml (½ c. à thé) de moutarde douce
	Poivre noir du moulin

1 Éponger les rondelles de calmar avec du papier absorbant. Les passer dans la farine et secouer l'excédent. Chauffer l'huile dans une poêle à feu moyen et faire sauter les rondelles de 1 à 2 minutes, ou jusqu'à ce qu'elles soient dorées. Égoutter sur du papier absorbant.

2 Mettre tous les ingrédients de la vinaigrette dans un bocal à couvercle vissant et bien secouer pour mélanger.

3 Placer les feuilles de laitue, les tomates et l'oignon dans un saladier et remuer. Répartir la salade dans les assiettes de service, garnir de rondelles de calmars chaudes et arroser de vinaigrette. Servir immédiatement.

Nettoyage d'un calmar frais : tenir le corps d'une main et de l'autre, tirer sur la tête pour faire sortir les viscères et la poche à encre. Retirer la peau sous un filet d'eau froide. Trancher le blanc (corps) transversalement pour obtenir des rondelles. À défaut de calmars frais, utiliser 340 g (12 oz) de rondelles de calmars surgelées.

SALADE DE PÊCHES AUX CREVETTES

4 PORTIONS • 45 MINUTES DE PRÉPARATION

200 g (7 oz) de pêches séchées
15 ml (1 c. à soupe) de jus de citron
Zeste râpé d'un citron
10 ml (2 c. à thé) de sucre brun
2 ml (½ c. à thé) de sel
2 ml (½ c. à thé) de poivre noir du moulin
75 ml (⅓ tasse) de vinaigre de xérès
2 gouttes de Tabasco
10 ml (2 c. à thé) de moutarde de Dijon
1 œuf
150 ml (⅔ tasse) d'huile d'olive légère
500 g (1 lb) de mélange de laitues vertes
12 grosses crevettes cuites, décortiquées et déveinées

1 Placer les pêches dans un plat. Mélanger ensemble le jus de citron, le zeste, le sucre brun, le sel, le poivre, le vinaigre et le Tabasco. Verser sur les pêches et laisser reposer 30 minutes à température ambiante.

2 Retirer les pêches de la préparation au vinaigre. Verser la préparation dans le bol d'un mélangeur ou d'un robot culinaire. Ajouter la moutarde et l'œuf, et mélanger jusqu'à ce que la préparation soit lisse. Le moteur toujours en marche, ajouter l'huile en mince filet régulier. La vinaigrette deviendra crémeuse et légèrement épaisse.

3 Répartir la salade dans 4 assiettes et garnir chacune d'elles de 2 moitiés de pêche et de 3 crevettes. À l'aide d'une cuillère, arroser la salade de vinaigrette. Servir immédiatement.

SALADE DE HOMARD ET DE TRUITE DE MER FUMÉE

6 À 8 PORTIONS • 40 MINUTES DE PRÉPARATION

1 concombre anglais	**Vinaigrette**
1 carotte pelée	Jus de 2 limes
1 courgette verte	15 ml (1 c. à soupe) de sucre de palme
1 courgette jaune	125 ml (½ tasse) d'huile d'olive
100 g (3½ oz) de feuilles de tatsoi	Sel et poivre noir du moulin
1 botte de ciboulette hachée	

1 Décortiquer la queue de homard, émincer la chair et réserver. Couper la truite en fines lanières et mettre aussi de côté.

2 Fendre le concombre en deux dans le sens de la longueur et enlever les pépins. À l'aide d'une mandoline ou d'un éplucheur, réaliser de longs rubans minces ressemblant à des fettucines. Détailler la carotte et les courgettes de la même manière.

3 Dans un saladier, mélanger délicatement le homard, la truite, les légumes et les feuilles de tatsoi.

4 Pour la vinaigrette, chauffer le jus de lime et y faire dissoudre le sucre de palme. Verser dans un bol et incorporer l'huile d'olive en battant jusqu'à épaississement et émulsion. Saler et poivrer. Arroser la salade de vinaigrette et remuer.

5 Disposer la salade sur un joli plat de service et parsemer de ciboulette.

COCKTAIL DE CREVETTES ET D'AVOCAT

4 PORTIONS • 15 MINUTES DE PRÉPARATION

400 g (14 oz) de crevettes cuites décortiquées (décongelées si surgelées)

120 ml (8 c. à soupe) de mayonnaise

60 ml (4 c. à soupe) de sauce tomate

2 branches de céleri hachées fin

1 oignon vert tranché fin

Sel et poivre noir du moulin

2 avocats

15 ml (1 c. à soupe) de jus de citron

1 Dans un bol, mélanger ensemble les crevettes, la mayonnaise et la sauce tomate. Incorporer le céleri et l'oignon, et assaisonner au goût.

2 Fendre les avocats en deux, retirer le noyau et peler. Couper la chair en dés, arroser de jus de citron et remuer (le citron empêchera la chair de noircir). Ajouter au mélange de crevettes, en remuant légèrement, puis transférer dans des verres ou des assiettes de service. Pour finir, donner un petit tour de poivre du moulin.

Cette entrée classique sera encore meilleure avec l'ajout de gros morceaux d'avocat mûr.
On peut aussi la servir en salade, mélangée avec des feuilles de laitue croquantes.

SALADE DE POMMES DE TERRE AUX FRUITS DE MER

4 PORTIONS • 45 MINUTES DE PRÉPARATION • 30 MINUTES DE CUISSON

750 g (1½ lb) de pommes de terre
non farineuses, non pelées
4 petites betteraves cuites et coupées en dés
1 bulbe de fenouil émincé, plus les feuilles hachées
1 kg (2 lb) de moules
500 g (1 lb) de palourdes
300 ml (10 oz) de vin blanc ou de cidre sec
1 échalote hachée fin
4 oignons verts émincés
60 ml (¼ tasse) de persil frais haché

Vinaigrette

75 ml (⅓ tasse) d'huile d'olive
15 ml (1 c. à soupe) de vinaigre de cidre
5 ml (1 c. à thé) de moutarde anglaise
Sel et poivre noir du moulin

1 Faire bouillir les pommes de terre dans l'eau salée 15 minutes ou jusqu'à tendreté. Égoutter et laisser refroidir 30 minutes. Peler et trancher.

2 Entre-temps, battre ensemble tous les ingrédients de la vinaigrette.

3 Dans un bol, mélanger les pommes de terre avec la moitié de la vinaigrette. Dans un autre bol, mélanger les betteraves et le fenouil avec le reste de la vinaigrette.

4 Gratter et ébarber les moules et les palourdes sous l'eau courante. Jeter celles qui sont ouvertes ou abîmées. Mettre le vin (ou le cidre) et l'échalote dans une grande casserole. Porter à ébullition, laisser frémir 2 minutes, puis ajouter les coquillages. Couvrir et cuire à feu vif de 3 à 5 minutes, en secouant la casserole fréquemment, jusqu'à ce que les coquilles soient ouvertes. Jeter les coquillages qui sont restés fermés. Réserver le jus de cuisson, mettre de côté quelques moules dans leurs écailles et décoquiller le reste.

5 Faire bouillir le jus de cuisson 5 minutes, ou jusqu'à ce qu'il soit réduit à 15-30 ml (½ à 1 oz). Passer sur les pommes de terre. Ajouter les fruits de mer, les oignons verts et le persil, et mélanger. Servir avec la salade de betteraves et de fenouil. Garnir de feuilles de fenouil et de moules en coquilles réservées.

SALADE DE HARICOTS AU THON

250 g (8 oz) de haricots secs
1 oignon coupé en deux
425 g (15 oz) de thon en conserve égoutté et émietté
3 ciboules hachées
1 poivron rouge coupé en dés
125 ml (½ tasse) de persil frais haché
45 ml (3 c. à soupe) d'huile d'olive
30 ml (2 c. à soupe) de vinaigre de cidre
Poivre noir du moulin

1 Verser les haricots dans un grand bol, couvrir d'eau et laisser tremper une nuit, puis égoutter. Mettre les haricots et l'oignon dans une casserole avec juste assez d'eau pour couvrir. Porter à ébullition et faire bouillir 10 minutes. Réduire le feu et laisser mijoter 1 heure, ou jusqu'à ce que les haricots soient tendres. Retirer et jeter l'oignon, égoutter les haricots et laisser refroidir.

2 Placer les haricots, le thon, les ciboules, le poivron et le persil dans un saladier.

3 Mettre l'huile, le vinaigre et le poivre dans un bocal à couvercle vissant et bien secouer pour mélanger. Verser sur la salade de haricots et remuer. Servir immédiatement.

SALADE DE FETTUCINES AU THON CITRONNÉ

4 PORTIONS • 10 MINUTES DE PRÉPARATION • 8 MINUTES DE CUISSON

500 g (1 lb) de fettucines
425 g (15 oz) de thon à l'eau en conserve égoutté et émietté
200 g (7 oz) de roquette hachée grossièrement
150 g (5 oz) de feta hachée
4 brins d'aneth hachés
60 ml (¼ tasse) de jus de citron
Poivre noir du moulin

1 Porter une grande casserole d'eau à ébullition, ajouter les fettucines et cuire 8 minutes, ou jusqu'à ce qu'ils soient juste fermes au centre (*al dente*). Égoutter, puis remettre les pâtes dans la casserole.

2 Chauffer à feu doux et ajouter le thon, la roquette, la feta, l'aneth et le jus de citron. Poivrer au goût. Remuer et servir immédiatement.

SALADE DE FRUITS DE MER GRILLÉS

8 PORTIONS • 1 HEURE 20 MINUTES DE PRÉPARATION • 10 MINUTES DE CUISSON

30 ml (2 c. à soupe) de jus de citron

15 ml (1 c. à soupe) d'huile d'olive

300 g (10 oz) de poisson à chair blanche ferme,
tel que l'espadon, le maquereau et la morue,
coupé en cubes de 2,5 cm (1 po)

300 g (10 oz) de poisson à chair rose, tel que le saumon,
le marlin et le thon, coupé en cubes de 2,5 cm (1 po)

12 pétoncles

12 crevettes crues (décortiquées ou non)

1 blanc de calmar coupé en rondelles

1 botte de cresson parée

1 gros oignon rouge coupé en rondelles

1 concombre anglais pelé et tranché fin

Vinaigrette aux framboises et à l'estragon

Feuilles de 3 brins d'estragon

30 ml (2 c. à soupe) de vinaigre
de framboise ou de vin rouge

30 ml (2 c. à soupe) de jus de citron

15 ml (1 c. à soupe) d'huile d'olive

Poivre noir du moulin

1. Battre le jus de citron et l'huile dans un bol. Ajouter les poissons, les pétoncles, les crevettes et le calmar. Mélanger, couvrir et laisser mariner au réfrigérateur de 1 à 2 heures.

2. Mettre tous les ingrédients de la vinaigrette dans un bocal à couvercle vissant. Bien secouer et réserver.

3. Préchauffer le barbecue ou le gril jusqu'à ce qu'il soit très chaud. Tapisser un plat de service de brins de cresson. Égoutter les fruits de mer et placer sur une plaque de barbecue ou un plat de cuisson. Ajouter l'oignon et griller, en retournant plusieurs fois, de 6 à 8 minutes ou jusqu'à ce que les fruits de mer soient tout juste cuits – une cuisson prolongée les fera durcir et sécher.

4. Transférer les fruits de mer dans un bol. Ajouter le concombre et la vinaigrette, et bien remuer. Déposer le mélange à l'aide d'une cuillère sur le lit de cresson et servir immédiatement.

MOULES SCANDINAVES

2 PORTIONS • 20 MINUTES DE PRÉPARATION • 15 MINUTES DE CUISSON

1 kg (2 lb) de moules grattées et ébarbées	**Légumes**
1 petit oignon tranché	125 ml (½ tasse) d'eau
1 branche de céleri tranchée	½ oignon haché fin
1 gousse d'ail hachée	½ branche de céleri hachée fin
60 ml (¼ tasse) de vin blanc	½ poivron rouge haché fin
60 ml (4 c. à soupe) de mayonnaise	15 ml (1 c. à soupe) de sucre
125 ml (½ tasse) de persil haché	15 ml (1 c. à soupe) de vinaigre de vin blanc
Jus d'un citron	
Sel et poivre noir du moulin	

1 Mettre les moules dans une casserole avec l'oignon, le céleri, l'ail et le vin blanc. Cuire jusqu'à ce que les moules soient ouvertes, en remuant fréquemment pour s'assurer d'une cuisson égale. Jeter les légumes et décoquiller les moules.

2 Pour les légumes, mélanger tous les ingrédients dans une petite casserole et faire bouillir 1 minute. Égoutter et laisser refroidir. Jeter le liquide de cuisson.

3 Mélanger les moules, la mayonnaise, les légumes, le persil et le jus de citron dans un bol. Saler et poivrer au goût. Décorer de quelques coquilles de moules et servir froid, accompagné d'une salade verte ou d'une salade de pommes de terre froide.

SALADE DE CREVETTES À L'AIL

4 PORTIONS • 12 MINUTES DE PRÉPARATION • 4 MINUTES DE CUISSON

15 ml (1 c. à soupe) d'huile d'olive extra vierge

4 gousses d'ail écrasées

2 ml (½ c. à thé) de flocons de piment

24 grosses crevettes crues, décortiquées et déveinées

1 tomate moyenne tranchée

1 cœur de laitue romaine

1 concombre libanais détaillé en rubans

Sel et poivre noir du moulin

Jus d'une lime

Jus d'un citron

1 Chauffer une grande poêle à fond épais, ajouter l'huile, l'ail, les flocons de piment et les crevettes. Cuire environ 3 minutes, en remuant constamment, jusqu'à ce que les crevettes changent de couleur.

2 Répartir les tranches de tomate dans 4 assiettes de service et garnir de feuilles de laitue et de rubans de concombre. Ajouter les crevettes et arroser de jus de cuisson. Saler et poivrer. Presser la lime et le citron sur la salade et servir.

SALADE DE PÉTONCLES À LA MÉDITERRANÉENNE

4 PORTIONS • 10 MINUTES DE PRÉPARATION • 4 MINUTES DE CUISSON

	Vinaigrette
15 ml (1 c. à soupe) d'huile d'olive	30 ml (2 c. à soupe) de moutarde de Dijon
200 g (7 oz) de petites crevettes décortiquées	Zeste et jus de 2 limes
200 g (7 oz) de pétoncles	75 ml (5 c. à soupe) de yogourt grec
3 laitues coupées en rubans	10 ml (2 c. à thé) de pâte de tomate
2 gros oignons rouges coupés en rondelles	1 piment rouge épépiné et haché fin
	60 ml (4 c. à soupe) d'huile d'olive extra vierge
	125 ml (½ tasse) d'aneth (ou de menthe) haché, et un peu plus pour garnir
	1 pincée de sel

1 Chauffer l'huile dans une poêle à feu moyen. Frire les crevettes et les pétoncles 4 minutes, jusqu'à ce qu'ils soient tout juste cuits. Réserver.

2 Pour faire la vinaigrette, mettre la moutarde, le jus de lime, le yogourt, la pâte de tomate et le piment dans un bol et bien mélanger. Incorporer l'huile à l'aide d'un fouet, un peu à la fois, puis ajouter l'aneth ou la menthe, le zeste de lime et le sel.

3 Placer la laitue dans un saladier, garnir de fruits de mer et de rondelles d'oignon. Arroser de vinaigrette et parsemer d'aneth ou de menthe.

SALADE DE BÉBÉS POULPES

4 PORTIONS • 2 HEURES 30 MINUTES DE PRÉPARATION • 10 MINUTES DE CUISSON

12 bébés poulpes	1 gros poivron rouge
10 ml (2 c. à thé) de graines de coriandre grillées	1 botte de cresson parée
2 gousses d'ail hachées fin,	250 ml (1 tasse) de gingembre mariné
plus 12 gousses émincées	15 ml (1 c. à soupe) de graines de sésame noires
30 ml (2 c. à soupe) de jus de citron	250 ml (1 tasse) de feuilles de coriandre
60 ml (4 c. à soupe) de sauce chili douce	250 ml (1 tasse) de germes de haricot
2 concombres anglais	250 ml (1 tasse) d'huile de canola

1. Enlever la peau et la tête des poulpes. Écraser les graines de coriandre au pilon dans un mortier. Mélanger les graines de coriandre, l'ail haché, le jus de citron et la sauce chili douce dans un bol. Ajouter les poulpes et laisser mariner 2 heures au réfrigérateur.

2. À l'aide d'un éplucheur, détailler le concombre en fines lanières. Trancher le poivron finement dans le sens de la longueur. Mélanger le cresson, le concombre, le poivron, le gingembre mariné, les graines de sésame, les feuilles de coriandre et les germes de haricot dans un grand bol. Réserver.

3. Chauffer l'huile dans une poêle et frire l'ail émincé jusqu'à ce qu'il soit doré et croustillant. Retirer de la poêle et égoutter sur du papier absorbant.

4. Passer la marinade des poulpes dans une petite casserole et porter à ébullition. Retirer du feu et laisser refroidir. Elle servira de vinaigrette plus tard. Chauffer un wok et faire sauter les poulpes de 3 à 4 minutes, jusqu'à ce qu'ils soient cuits.

5. Mélanger la salade préparée avec les poulpes, arroser de vinaigrette et remuer. Garnir d'ail croustillant et servir.

VIANDES ET VOLAILLES

L a tendance alimentaire étant à la cuisine légère, les salades-repas gagnent en popula-
rité. La plupart des salades proposées dans ce chapitre sont donc des plats complets,
comme la Salade de poulet grillé aux épinards et à la mangue ou la Salade de canard
sauté au thym et au miel.

SALADE DE POULET GRILLÉ AUX ÉPINARDS ET À LA MANGUE

6 PORTIONS • 1 HEURE 30 MINUTES DE PRÉPARATION • 2 HEURES 20 MINUTES DE CUISSON

6 tomates italiennes

10 feuilles de basilic tranchées

10 feuilles de menthe tranchées

Sel et poivre noir du moulin

2 ml (½ c. à thé) de sucre

12 filets de poulet

1 botte d'asperges

1 avocat

1 botte de ciboules

8 champignons de Paris fermes

2 mangues fermes

3 poignées de jeunes épinards

125 ml (½ tasse) de noisettes grillées et légèrement écrasées

125 ml (½ tasse) de noix du Brésil grillées et légèrement écrasées

125 ml (½ tasse) de pistaches grillées et légèrement écrasées

Vinaigrette

10 ml (2 c. à thé) de miel

30 ml (2 c. à soupe) de vinaigre balsamique

45 ml (3 c. à soupe) de vinaigre de framboise

30 ml (2 c. à soupe) de sauce soja

10 ml (2 c. à thé) de moutarde de Dijon

1 morceau de 2 cm (¾ po) de gingembre haché fin

2 gousses d'ail hachées fin

5 ml (1 c. à thé) de sambal œlek (pâte de piment)

30 ml (2 c. à soupe) de jus de citron

30 ml (2 c. à soupe) d'huile d'olive

Sel et poivre noir du moulin

1 Préchauffer le four à 160 °C (320 °F). Trancher les tomates en deux dans le sens de la longueur et garnir de basilic, de menthe, de sel, de poivre et de sucre. Cuire 2 heures au four, puis couper en quartiers.

2 Dans un grand pot, battre ensemble tous les ingrédients de la vinaigrette jusqu'à émulsion (épaississement).

3 Mettre le poulet dans 125 ml (½ tasse) de vinaigrette et réserver le reste. Laisser mariner de 1 à 4 heures. Chauffer une poêle à fond cannelé antiadhésive et griller le poulet à feu vif de 2 à 3 minutes de chaque côté, jusqu'à ce qu'il soit cuit. Transférer sur une assiette et garder au chaud.

4 Cuire les asperges à la vapeur jusqu'à tendreté, puis rafraîchir sous l'eau froide. Fendre l'avocat en deux, peler et couper la chair en dés. Trancher les ciboules en biais et émincer les champignons. Couper la chair des mangues en dés.

5 Pour faire la salade, placer les épinards bien lavés dans un grand saladier et ajouter les asperges, les ciboules, les champignons et les tomates rôties. Verser la vinaigrette réservée et bien mélanger.

6 Répartir également la salade dans six bols et ajouter les dés de mangue et d'avocat. Garnir chaque salade de 2 filets de poulet et parsemer généreusement de noix. Servir immédiatement.

Salade de canard sauté au thym et au miel

4 PORTIONS • 25 MINUTES DE PRÉPARATION • 20 MINUTES DE CUISSON

3 poitrines de canard, avec la peau	15 ml (1 c. à soupe) de jus de citron
Sel et poivre noir du moulin	30 ml (2 c. à soupe) d'huile de noix
15 ml (1 c. à soupe) d'huile d'arachide	200 g (7 oz) de mesclun lavé et essoré
10 ml (2 c. à thé) de beurre	6 grosses tomates cerises coupées en deux
2 brins de thym	60 ml (¼ tasse) de feuilles de basilic
30 ml (2 c. à soupe) de miel	

1 Préchauffer le four à 190 °C (375 °F). Saler et poivrer légèrement les poitrines de canard.

2 Chauffer l'huile d'arachide dans une casserole, jusqu'à ce qu'elle soit presque fumante. Ajouter les poitrines, peau vers le bas, et cuire à feu vif jusqu'à ce que la peau soit caramel foncé. Transférer la casserole au four préchauffé et cuire de 7 à 10 minutes pour une cuisson saignante. Ne pas retourner les poitrines.

3 Sortir la casserole du four, retirer les poitrines et garder au chaud. Jeter l'excédent de graisse. Ajouter le beurre et, lorsqu'il commence à faire des bulles, mettre le thym, puis le miel. Replacer les poitrines, côté peau vers le haut.

4 Cuire une minute à feu doux, puis enlever la viande de la casserole.

5 Battre ensemble le jus de citron, l'huile de noix et le jus de cuisson. Saler et poivrer au goût. Arroser le mesclun d'un peu de vinaigrette et remuer.

6 Répartir le mesclun et les moitiés de tomate dans les assiettes. Trancher les poitrines de canard et disposer sur la salade. Asperger les tranches du restant de vinaigrette. Garnir de feuilles de basilic et servir.

SALADE DE POULET ITALIENNE

4 PORTIONS • 15 MINUTES DE PRÉPARATION • 20 MINUTES DE CUISSON

	Vinaigrette aux pruneaux
3 filets de poulet, gras et peau enlevés	8 pruneaux dénoyautés
Huile d'olive	15 ml (1 c. à soupe) de feuilles d'origan
125 g (4 oz) de jeunes épinards	Zeste d'un citron
125 g (4 oz) de haricots verts blanchis	5 ml (1 c. à thé) de sucre
1 oignon rouge tranché fin	125 ml (½ tasse) de vinaigre de vin rouge
30 ml (2 c. à soupe) de petites câpres égouttées	

1 Chauffer à feu élevé une poêle à fond cannelé ou une poêle à frire antiadhésive. Huiler légèrement le poulet et griller de 2 à 3 minutes de chaque côté, ou jusqu'à ce qu'il soit tendre. Retirer de la poêle et laisser tiédir.

2 Mettre tous les ingrédients de la vinaigrette dans une casserole et chauffer à feu doux; porter à faible ébullition, puis laisser frémir 5 minutes.

3 Pour assembler la salade, couper le poulet en fines tranches. Disposer harmonieusement les épinards, les haricots, l'oignon, le poulet et les câpres sur des assiettes de service. Arroser d'un peu de vinaigrette tiède et servir immédiatement. Servir à part la vinaigrette restante.

SALADE DE POULET AU BOK CHOY ASIATIQUE

12 PORTIONS • 12 MINUTES DE PRÉPARATION • 20 MINUTES DE CUISSON

8 shiitakes frais ou séchés	1 morceau de 5 cm (2 po) de gingembre haché fin
10 g (⅓ oz) de champignons noirs séchés	60 ml (¼ tasse) de yogourt nature
800 g (28 oz) de poulet cuit, sans peau, défait en filaments	45 ml (3 c. à soupe) de kecap manis
1 kg (2 lb) de nouilles asiatiques fraîches	15 ml (1 c. à soupe) de sauce hoisin
200 g (7 oz) de pois mange-tout frais tranchés en diagonale	45 ml (3 c. à soupe) de mirin
Feuilles bien lavées de 4 bébés bok choy	45 ml (3 c. à soupe) de vinaigre de riz
1 poivron rouge coupé en dés	45 ml (3 c. à soupe) de sauce chili douce
4 ciboules émincées	15 ml (1 c. à soupe) de sauce de poisson
250 g (8 oz) de châtaignes d'eau tranchées, en conserve, égouttées	Jus d'une lime
	Sel et poivre noir du moulin
	30 ml (2 c. à soupe) d'amandes en julienne grillées
	Feuilles hachées d'un bouquet de cerfeuil, de persil ou de coriandre

1   Émincer les shiitakes frais – ou faire tremper les shiitakes séchés dans l'eau chaude 15 minutes et égoutter avant de trancher. Faire tremper les champignons noirs 15 minutes. Égoutter et rincer abondamment à l'eau froide.

2   Placer les filaments de poulet dans un grand saladier. Dans un autre bol, verser de l'eau bouillante sur les nouilles pour les séparer, puis égoutter et mettre avec le poulet. Ajouter les champignons, les pois mange-tout, les feuilles de bok choy, le poivron, les ciboules et les châtaignes d'eau, et bien remuer.

3   Dans un pot, battre ensemble le gingembre, le yogourt, le kecap manis, la sauce hoisin, le mirin, le vinaigre de riz, la sauce chili douce, la sauce de poisson et le jus de lime. Saler et poivrer au goût. Verser sur la salade et mélanger à fond pour bien enrober tous les ingrédients. Garnir d'amandes grillées et de cerfeuil, de persil ou de coriandre, et servir.

Les shiitakes et les champignons noirs séchés sont en vente dans les épiceries asiatiques.

Salade de poulet du Nouveau-Mexique

4 PORTIONS • 10 MINUTES DE PRÉPARATION

	Vinaigrette aux pignons et aux piments
1 botte de jeune roquette	60 ml (4 c. à soupe) de pignons de pin grillés
Fleurs comestibles au choix	6 feuilles de laurier
6 feuilles de chicorée rouge déchiquetées	2 piments rouges frais hachés fin
1 pamplemousse pelé, sans peau blanche et séparé en quartiers	30 ml (2 c. à soupe) de sucre
	75 ml (⅓ tasse) de vinaigre de vin rouge
2 poitrines de poulet fumé tranchées	60 ml (¼ tasse) d'huile d'olive

1 Disposer joliment la roquette, les fleurs et la chicorée sur des assiettes de service. Garnir de pamplemousse et de poulet.

2 Mettre tous les ingrédients de la vinaigrette dans un bol et battre pour mélanger. Juste avant de servir, asperger la salade de vinaigrette.

SALADE DE POULET AUX KUMQUATS ISRAÉLIENNE ET RIZ SAUVAGE MÉLANGÉ

6 À 8 PORTIONS • 2 HEURES DE PRÉPARATION • 40 MINUTES DE CUISSON

1 kg (2 lb) de poulet maigre coupé en cubes	60 ml (4 c. à soupe) de confiture de pêches
5 ml (1 c. à thé) de sel noir du moulin	60 ml (4 c. à soupe) de miel
5 ml (1 c. à thé) de poivre	30 ml (2 c. à soupe) de jus de citron
5 ml (1 c. à thé) de paprika	30 ml (2 c. à soupe) de jus de lime
5 ml (1 c. à thé) de cumin moulu	500 g (1 lb) de kumquats frais ou en conserve
5 ml (1 c. à thé) de poudre d'oignon	60 ml (¼ tasse) de riz sauvage
500 ml (2 tasses) de jus d'orange	125 ml (½ tasse) de riz brun
60 ml (¼ tasse) de vin blanc sec	250 ml (1 tasse) de riz blanc
2 oignons coupés en dés	Feuilles d'un bouquet de basilic émincées fin
60 ml (4 c. à soupe) de confiture d'abricots	100 g (3½ oz) de pistaches grillées et hachées

1 Mettre les cubes de poulet dans un sac de plastique et ajouter le sel, le poivre, le paprika, le cumin et la poudre d'oignon. Fermer le sac et secouer vivement pour enrober le poulet d'épices. Enfiler les cubes sur des brochettes de bois et placer dans un plat de cuisson peu profond. Réserver.

2 Entre-temps, mélanger le jus d'orange, le vin, les oignons, les confitures, le miel, le jus de citron, le jus de lime et les kumquats dans une casserole et chauffer jusqu'à frémissement. Verser la moitié de la préparation (réserver le reste) sur les brochettes de poulet et laisser mariner 2 heures.

3 Pendant que le poulet marine, préparer le riz. Porter une grande casserole d'eau salée à ébullition et ajouter le riz sauvage. Faire bouillir 5 minutes, puis ajouter le riz brun. Continuer à bouillir 10 minutes avant d'ajouter le riz blanc. Laisser mijoter 15 minutes. Bien égoutter et garder au chaud.

4 Chauffer une poêle à fond cannelé, le barbecue ou le gril. Cuire les brochettes de poulet, en les badigeonnant en cours de cuisson du reste de préparation aux kumquats.

5 Incorporer le basilic émincé et les pistaches hachées au riz et servir avec les brochettes de poulet. Si désiré, arroser de préparation aux kumquats.

SALADE DE CAILLES AU MARSALA

6 PORTIONS • 10 MINUTES DE PRÉPARATION • 30 MINUTES DE CUISSON

	Sauce au marsala
6 cailles	125 ml (½ tasse) de crème
30 g (1 oz) de beurre	30 ml (2 c. à soupe) de mayonnaise
125 ml (½ tasse) de crème	10 ml (2 c. à thé) de marsala sec
175 ml (¾ tasse) de marsala sec	
Feuilles d'une chicorée frisée	
Feuilles d'une endive	
Feuilles d'une chicorée rouge	
1 botte de cresson parée	
1 poire pelée, étrognée et tranchée	
60 g (2 oz) de pacanes	

1 Placer les cailles sur la grille d'une rôtissoire et cuire au four 20 minutes. Laisser tiédir, puis découper en portions de service.

2 Faire fondre le beurre dans une casserole. Ajouter la crème et le marsala. Porter à ébullition, baisser le feu et laisser mijoter 5 minutes. Ajouter les cailles et cuire 5 minutes. Retirer du feu et laisser refroidir.

3 Pour faire la sauce, bien battre ensemble la crème, la mayonnaise et le marsala.

SALADE DE POULET ET DE LENTILLES À L'INDIENNE

6 À 8 PORTIONS • 15 MINUTES DE PRÉPARATION • 35 MINUTES DE CUISSON

1,9 l (7½ tasses) de bouillon de légumes	1 petit chou-fleur coupé en fleurons
375 ml (1½ tasse) de lentilles sèches	375 ml (1½ tasse) de petits pois frais ou surgelés
Jus de 2 citrons	2 petites tomates épépinées et coupées en dés
30 ml (2 c. à soupe) d'huile végétale	1 concombre pelé et coupé en dés
15 ml (1 c. à soupe) de poudre de cari	2 ciboules émincées
15 ml (1 c. à soupe) de garam masala	60 ml (¼ tasse) de menthe fraîche hachée
5 ml (1 c. à thé) de curcuma	2 grosses bottes de cresson parées
Sel et poivre noir du moulin	Feuilles de menthe pour décorer
4 gros filets de poitrine de poulet, sans peau	

1. Porter 1,5 l (6 tasses) de bouillon de légumes à ébullition et ajouter les lentilles. Laisser mijoter environ 20 minutes, jusqu'à ce que les lentilles soient tendres sans perdre leur forme. Bien égoutter, puis transférer dans un grand bol. Ajouter le jus de citron et 15 ml (1 c. à soupe) d'huile. Bien mélanger, couvrir et réfrigérer.

2. Dans un sac de plastique, mettre la poudre de cari, le garam masala, le curcuma, le sel et le poivre. Ajouter les poitrines de poulet, fermer le sac et secouer vigoureusement pour bien enrober d'épices. Dans une poêle à fond cannelé ou une poêle à frire antiadhésive, chauffer le reste de l'huile jusqu'à ce qu'elle soit fumante. Ajouter les poitrines de poulet et griller environ 5 minutes, jusqu'à ce qu'elles soient cuites et bien dorées des deux côtés. Retirer de la poêle et réserver.

3. Dans la même poêle, porter à ébullition le reste de bouillon. Ajouter le chou-fleur et les petits pois, et cuire à feu vif environ 5 minutes, jusqu'à ce que les légumes soient tout juste tendres et qu'il n'y ait presque plus de liquide. Verser dans le bol de lentilles et bien remuer. Incorporer ensuite les tomates, le concombre, les ciboules et la menthe hachée. Rectifier l'assaisonnement au besoin.

4. Couper le poulet en tranches diagonales, puis mélanger délicatement avec les légumes. Disposer le cresson sur un plat de service et garnir de salade composée, en veillant à mettre le poulet en évidence. Décorer de feuilles de menthe.

SALADE DE POULET GRILLÉ AUX ÉPINARDS ET À LA MANGUE

6 PORTIONS • 1 HEURE 30 MINUTES DE PRÉPARATION • 2 HEURES 20 MINUTES DE CUISSON

12 grandes côtelettes d'agneau	15 ml (1 c. à soupe) de garam masala
250 ml (1 tasse) de graines de sésame	1 ml (¼ c. à thé) de macis
125 ml (½ tasse) de graines de nigelle	5 ml (1 c. à thé) de sel
Marinade	Salade
1 gros oignon haché	250 g (8 oz) de jeunes épinards
1 morceau de 2,5 cm (1 po) de gingembre frais râpé	200 g (7 oz) de mesclun
Jus d'un citron	4 ciboules émincées
15 ml (1 c. à soupe) d'eau	30 ml (2 c. à soupe) de vinaigre blanc
125 ml (½ tasse) de yogourt nature	45 ml (3 c. à soupe) d'huile d'arachide
10 ml (2 c. à thé) de coriandre moulue	Sel et poivre noir du moulin
10 ml (2 c. à thé) de cumin moulu	Quelques gouttes d'huile de sésame
2 ml (½ c. à thé) de curcuma	
1 ml (¼ c. à thé) de poivre de Cayenne	

1 Passer tous les ingrédients de la marinade au robot culinaire, jusqu'à ce que la préparation soit lisse. Verser sur les côtelettes d'agneau, en retournant la viande de façon à enrober les deux côtés. Laisser mariner de 4 à 8 heures.

2 Préchauffer le four à 220 °C (425 °F). Avant d'enfourner, mélanger les graines de sésame et de nigelle, et les placer sur une assiette. Retirer les côtelettes de la marinade, une à la fois, en laissant égoutter l'excédent, puis tremper dans le mélange de graines pour enrober les deux côtés. Disposer les côtelettes enrobées sur une plaque à cuisson antiadhésive et cuire au four préchauffé 10 minutes pour une cuisson mi-saignante ou jusqu'au degré de cuisson désiré.

3 Pendant ce temps, préparer la salade. Laver et sécher les épinards et le mesclun, et mettre dans un saladier avec les ciboules. Fouetter ensemble le vinaigre, l'huile d'arachide, le sel et le poivre. Ajouter quelques gouttes d'huile de sésame et continuer à battre jusqu'à épaississement. Arroser la salade de vinaigrette et bien mélanger. Répartir la salade dans 6 assiettes, garnir chacune de 2 côtelettes et servir immédiatement.

Les graines de nigelle sont vendues dans les épiceries indiennes. À défaut, utiliser des graines de sésame non décortiquées.

SALADE DE POULET AUX RAISINS

150 g (5 oz) de conchiglies (pâtes en forme de coquille)
1 kg (2 lb) de poulet cuit et refroidi
150 g (5 oz) de raisins verts sans pépins, coupés en deux
60 ml (¼ tasse) d'estragon frais
30 ml (2 c. à soupe) de mayonnaise
30 ml (2 c. à soupe) de yogourt nature
Poivre noir du moulin

1 Porter à ébullition une grande casserole d'eau salée. Ajouter les pâtes et cuire 8 minutes, ou jusqu'à ce qu'elles soient juste fermes au centre (*al dente*). Égoutter, rincer sous l'eau froide, puis égoutter de nouveau et laisser refroidir complètement.

2 Dépiauter et désosser le poulet. Hacher la chair. Dans un saladier, mélanger ensemble les pâtes, le poulet, les raisins et l'estragon.

3 Dans un petit bol, mélanger la mayonnaise, le yogourt et le poivre noir. Déposer à l'aide d'une cuillère sur la préparation au poulet et remuer pour enrober tous les ingrédients. Servir à température ambiante.

SALADE DE COURGETTES ET DE MIZUNA À LA SAUCISSE ITALIENNE

4 PORTIONS • 25 MINUTES DE PRÉPARATION • 15 MINUTES DE CUISSON

2 courgettes moyennes coupées en tranches de 1 cm (⅜ po) d'épaisseur

350 g (12 oz) de saucisses italiennes

1 baguette mince coupée en tranches de 2 cm (¾ po)

30 ml (2 c. à soupe) d'huile d'olive

2 bottes de mizuna (roquette japonaise)

60 ml (¼ tasse) de feuilles de basilic déchiquetées

125 g (4 oz) de tomates demi-séchées

45 g (1½ oz) de parmesan râpé

Vinaigrette

60 ml (¼ tasse) d'huile d'olive

30 ml (2 c. à soupe) de jus de citron

Sel et poivre noir du moulin

1 Chauffer une poêle à fond cannelé légèrement huilée et griller les courgettes de 2 à 3 minutes de chaque côté. Réserver.

2 Ajouter les saucisses et cuire de 6 à 8 minutes, en tournant fréquemment, puis retirer de la poêle et laisser refroidir. Couper les saucisses refroidies en tranches de 2,5 cm (1 po).

3 Badigeonner d'huile les tranches de pain et griller chaque côté de 2 à 3 minutes. Mélanger la mizuna, le basilic, les saucisses, les courgettes, les tomates demi-séchées et le parmesan dans un grand saladier.

4 Battre ensemble tous les ingrédients de la vinaigrette. Arroser la salade de vinaigrette et servir avec le pain grillé.

SALADE DE BŒUF THAÏLANDAISE

4 PORTIONS • 30 MINUTES DE PRÉPARATION • 10 MINUTES DE CUISSON

500 g (1 lb) de romsteck	¼ de chou chinois émincé
Poivre du moulin	250 ml (1 tasse) de coriandre fraîche
1 petit piment rouge haché fin	250 ml (1 tasse) de menthe fraîche
30 ml (2 c. à soupe) de jus de lime	125 g (4 oz) de pois mange-tout parés
30 ml (2 c. à soupe) de sauce de poisson	1 concombre libanais émincé
30 ml (2 c. à soupe) de sucre de palme râpé ou de sucre brun	1 petit oignon rouge émincé finement
5 ml (1 c. à thé) d'huile de sésame	200 g (7 oz) de tomates cerises coupées en deux

1 Dégraisser et dénerver la viande. Poivrer.

2 Cuire le steak quelques minutes sur un gril légèrement huilé, jusqu'à ce qu'il soit mi-saignant. Retirer du feu et laisser reposer 10 minutes avant de couper en fines tranches contre le grain.

3 Dans un pot, battre ensemble le piment, le jus de lime, la sauce de poisson, le sucre et l'huile de sésame.

4 Mélanger le chou, la moitié de la coriandre, la menthe, les pois mange-tout, le concombre, l'oignon et les tomates dans un grand saladier. Si désiré, répartir dans des assiettes individuelles.

5 Garnir de lamelles de steak, arroser de vinaigrette et parsemer du restant de coriandre.

SALADE D'AGNEAU ET DE COUSCOUS À L'ORIGAN

4 PORTIONS • 20 MINUTES DE PRÉPARATION, PLUS LE TEMPS DE MARINAGE • 15 MINUTES DE CUISSON

500 g (1 lb) de longe d'agneau	250 ml (1 tasse) de couscous
2 gousses d'ail écrasées	500 ml (2 tasses) de bouillon de poulet
5 ml (1 c. à thé) de cannelle moulue	400 g (14 oz) de pois chiches en conserve,
5 ml (1 c. à thé) de piment de la Jamaïque	rincés et égouttés
30 ml (2 c. à soupe) de jus de citron	200 g (7 oz) de tomates cerises coupées en deux
5 ml (1 c. à thé) de miel	500 ml (2 tasses) de persil plat haché grossièrement
15 ml (1 c. à soupe) d'huile d'olive	250 ml (1 tasse) de raisins secs
60 ml (¼ tasse) d'origan frais haché	2 oranges coupées en quartiers

1   Dégraisser et dénerver la longe d'agneau. Dans un pot, battre ensemble l'ail, la cannelle, le piment de la Jamaïque, le jus de citron, le miel, l'huile d'olive et l'origan. Verser sur l'agneau, couvrir et laisser mariner au réfrigérateur 4 heures ou toute la nuit.

2   Mettre le couscous dans un saladier. Porter le bouillon de poulet à ébullition et verser sur le couscous. Laisser reposer 10 minutes ou jusqu'à ce que tout le liquide soit absorbé.

3   Huiler légèrement la plaque du gril ou la grille du barbecue et chauffer à feu moyen-fort. Cuire la longe d'agneau marinée environ 10 minutes, jusqu'à ce que la viande soit mi-saignante. Laisser reposer 5 minutes avant de trancher.

4   Incorporer l'agneau, les pois chiches, les tomates, le persil, les raisins secs et les oranges au couscous. Servir.

SALADE TIÈDE DE POULET THAÏLANDAISE

3 PORTIONS • 35 MINUTES DE PRÉPARATION • 12 MINUTES DE CUISSON

	Vinaigrette
3 poitrines de poulet	125 ml (½ tasse) d'huile d'olive
10 ml (2 c. à thé) d'assaisonnement thaï	310 ml (1¼ tasse) de vinaigre de malt
5 ml (1 c. à thé) d'huile	5 ml (1 c. à thé) d'assaisonnement thaï
1 poivron rouge épépiné et coupé en lanières	
1 poivron vert épépiné et coupé en lanières	
1 aubergine tranchée	
1 oignon rouge coupé en rondelles	
½ laitue romaine déchiquetée	

1 Aplatir légèrement les poitrines de poulet à une épaisseur égale. Mélanger l'assaisonnement thaï et l'huile, et bien en enrober le poulet. Couvrir et laisser reposer 20 minutes avant de cuire.

2 Chauffer le barbecue à feu moyen et huiler la plaque de cuisson et les barreaux de la grille. Placer le poulet sur la grille et cuire 4 minutes de chaque côté. Placer les légumes, sauf la laitue, sur la plaque de cuisson, asperger d'un peu d'huile et cuire de 5 à 8 minutes, en remuant et en retournant pour une cuisson uniforme. Répartir la laitue dans des assiettes individuelles et placer les légumes grillés au centre. Couper le poulet en fines tranches diagonales et disposer sur les légumes et la laitue.

3 Mélanger ensemble les ingrédients de la vinaigrette et verser sur la salade. Servir avec du pain croustillant.

SALADE TIÈDE DE CANARD À LA MANGUE

4 PORTIONS • 25 MINUTES DE PRÉPARATION • 10 MINUTES DE CUISSON

250 g (8 oz) de poitrine de canard désossée

10 ml (2 c. à thé) d'huile de sésame

1 mangue mûre

125 g (4 oz) de mélange de feuilles de laitue vert foncé, telles que jeunes épinards et roquette

125 g (4 oz) de pois sugar snap hachés

4 ciboules émincées en diagonale

Vinaigrette

45 ml (3 c. à soupe) d'huile d'olive extra vierge

Jus d'une lime

5 ml (1 c. à thé) de miel liquide

60 ml (¼ tasse) de coriandre fraîche hachée

Poivre noir du moulin

1 Enlever la peau du canard et couper la chair en lanières. Chauffer l'huile de sésame dans un wok ou une grande poêle à frire, ajouter le canard et faire sauter à feu vif de 4 à 5 minutes jusqu'à tendreté.

2 Trancher les deux «joues» de la mangue de part et d'autre du noyau plat. À l'aide d'un couteau bien aiguisé, entailler la chair en croisillons, sans transpercer la peau. Retourner la joue pour exposer la chair et découper les cubes. Placer dans un saladier avec les feuilles de laitue, les pois et les ciboules. Remuer doucement pour mélanger.

3 Dans un petit bol, battre ensemble tous les ingrédients de la vinaigrette. Ajouter le canard tiède à la salade de mangue, asperger de vinaigrette et remuer. Garnir de coriandre fraîche.

Salade de poulet à l'avocat

6 PORTIONS • 10 MINUTES DE PRÉPARATION

3 filets de poulet sans peau, cuits et tranchés

1 petite laitue pommée déchiquetée

1 gros oignon rouge tranché fin

125 ml (½ tasse) d'huile d'olive

60 ml (¼ tasse) de vinaigre de vin rouge

Sel et poivre noir du moulin

2 avocats pelés et tranchés

1 Mettre le poulet, la laitue et l'oignon dans un bol. Bien mélanger l'huile et le vinaigre, saler et poivrer au goût. Verser sur la salade et remuer doucement. Disposer la salade sur une assiette de service, garnir de tranches d'avocat et servir.

CÉRÉALES, LÉGUMES SECS ET PÂTES

es céréales, les légumes secs et les pâtes peuvent constituer la base de nombreuses salades. En les combinant à des légumes frais, quelques herbes et des épices, on obtient un équilibre parfait de saveurs, de textures et de substances nutritives.

SALADE DE NOUILLES DE RIZ JAPONAISE

2 PORTIONS • 20 MINUTES DE PRÉPARATION • 15 MINUTES DE CUISSON

250 g (8 oz) de nouilles de riz longues et plates
5 ml (1 c. à thé) d'huile d'olive
1 morceau de 2,5 cm (1 po) de gingembre râpé
1 ou 2 petits piments rouges frais, épépinés et émincés
1 poivron rouge coupé en petits morceaux
6 ciboules émincées en diagonale
½ botte de coriandre
Jus d'une lime
15 ml (1 c. à soupe) de vinaigre de riz japonais
15 ml (1 c. à soupe) de sauce soja
30 ml (2 c. à soupe) de bouillon de légumes
45 ml (3 c. à soupe) de graines de sésame

1 Remplir un grand bol d'eau chaude (non bouillante) et plonger les nouilles de riz de 5 à 10 minutes, jusqu'à ce qu'elles soient tendres. Égoutter et rincer sous l'eau froide pour rafraîchir, puis placer dans un grand bol à mélanger.

2 Chauffer l'huile d'olive dans une petite poêle antiadhésive et faire revenir doucement le gingembre et les piments de 1 à 2 minutes. Ajouter les morceaux de poivron, monter le feu à moyen-fort et faire sauter jusqu'à ce qu'ils soient tendres. Ajouter les ciboules émincées et poursuivre la cuisson 2 minutes.

3 Verser la préparation au poivron dans le bol contenant les nouilles, ajouter la coriandre et bien mélanger.

4 Dans un petit pot, battre ensemble le jus de lime, le vinaigre de riz, la sauce soja et le bouillon, puis verser sur les nouilles et bien remuer. Parsemer de graines de sésame et réfrigérer avant de servir.

SALADE DE HARICOTS MARINÉS

4 PORTIONS • 4 À 6 HEURES DE PRÉPARATION • 15 MINUTES DE CUISSON

100 g (3½ oz) de haricots verts coupés en deux

2 petites courgettes coupées en allumettes

1 petite carotte coupée en allumettes

250 g (8 oz) de haricots rouges en conserve
égouttés et rincés

250 g (8 oz) de pois chiches en conserve
égouttés et rincés

250 g (8 oz) de haricots de Lima
en conserve égouttés et rincés

1 petit poivron rouge coupé en lanières

60 ml (¼ tasse) de persil frais haché

60 ml (¼ tasse) de basilic frais haché

Vinaigrette

60 ml (¼ tasse) d'huile d'olive

22 ml (1½ c. à soupe) de vinaigre de vin rouge

1 gousse d'ail écrasée

Poivre noir du moulin

1 Cuire à la vapeur les haricots verts, les courgettes et la carotte, jusqu'à ce qu'ils soient tout juste tendres. Égoutter et rafraîchir sous l'eau froide.

2 Mettre tous les ingrédients de la vinaigrette dans un bocal à couvercle vissant et bien secouer pour mélanger.

3 Dans un grand saladier, mettre les légumes cuits, les haricots rouges, les pois chiches, les haricots de Lima, le poivron, le persil et le basilic. Verser la vinaigrette à l'aide d'une cuillère et bien remuer. Couvrir et réfrigérer de 4 à 6 heures. Mélanger de nouveau avant de servir.

Les haricots en conserve sont des substituts rapides et nutritifs des haricots secs. Certes, une perte de vitamines B se produit durant la mise en conserve, mais pas beaucoup. Gardez toujours quelques boîtes de haricots dans votre garde-manger; ils vous permettront de préparer un repas riche en fibres en un tournemain.

SALADE NIÇOISE AU THON ET À L'ORGE

6 PORTIONS • 45 MINUTES DE PRÉPARATION • 1 HEURE 30 MINUTES DE CUISSON

2 pommes de terre roses non pelées

5 ml (1 c. à thé) d'huile d'olive

Sel et poivre du moulin

Feuilles hachées de 2 brins de romarin

1 l (4 tasses) de bouillon de légumes

5 ml (1 c. à thé) d'origan frais

5 ml (1 c. à thé) de marjolaine fraîche

250 ml (1 tasse) d'orge perlé

1 oignon rouge coupé en rondelles

6 darnes de thon d'environ 180 g (6 oz) chacune

500 g (1 lb) de haricots verts blanchis

125 ml (½ tasse) de persil frais haché,
et un peu plus pour servir

120 g (4 oz) de mesclun

200 g (7 oz) de poivron grillé et tranché

2 tomates italiennes hachées fin

150 g (5 oz) d'olives Kalamata hachées fin

Vinaigrette

4 gousses d'ail hachées fin

5 ml (1 c. à thé) de mélange d'herbes séchées

15 à 30 ml (1 à 2 c. à soupe) d'huile d'olive vierge

5 ml (1 c. à thé) de moutarde de Dijon

125 ml (½ tasse) de bouillon de légumes

1. Préchauffer le four à 220 °C (425 °F). Bien laver les pommes de terre et trancher sans peler. Badigeonner légèrement (ou vaporiser) d'huile d'olive. Saupoudrer de sel, de poivre et de romarin. Étaler sur une plaque à cuisson et cuire 45 minutes, en tournant durant la cuisson.

2. Entre-temps, porter le bouillon à ébullition. Ajouter l'origan, la marjolaine et l'orge. Couvrir et laisser mijoter 40 minutes. Retirer du feu et mettre de côté. Faire tremper l'oignon rouge dans l'eau froide 30 minutes, puis égoutter.

3. Saler et poivrer les darnes de thon, et griller 2 minutes de chaque côté dans une poêle à fond cannelé chaude, jusqu'à ce qu'elles soient juste cuites.

4. Battre tous les ingrédients de la vinaigrette jusqu'à épaississement. Incorporer les haricots verts, les rondelles d'oignon, le persil et la moitié de la vinaigrette à l'orge tiède.

5. Placer plusieurs tranches de pommes de terre sur chaque assiette. Couvrir de 6 feuilles de laitue, d'une bonne cuillérée à table de préparation à l'orge, de quelques lanières de poivron grillé et d'une darne de thon cuite. Répartir une cuillérée à thé de tomates et d'olives hachées autour de la salade, puis asperger le tout du reste de vinaigrette. Parsemer de persil et servir à température ambiante.

Salade de haricots sud-américaine

4 PORTIONS • 10 MINUTES DE PRÉPARATION • 8 MINUTES DE CUISSON

800 g (1¾ lb) de haricots blancs en conserve égouttés et rincés

1 petit oignon rouge tranché fin

1 petit poivron rouge grillé et tranché fin

1 piment Jalapeño épépiné et coupé en dés

750 ml (3 tasses) de brins de cresson

60 ml (¼ tasse) de feuilles de persil plat

30 ml (2 c. à soupe) d'huile d'olive extra vierge

15 ml (1 c. à soupe) de jus de citron

30 ml (2 c. à soupe) de vinaigre de vin rouge

2 ml (½ c. à thé) de sucre

Sel et poivre noir du moulin

1 Mettre les haricots dans un bol de service. Ajouter l'oignon rouge, le poivron rouge, le piment, le cresson et le persil.

2 Dans un petit bol, mélanger l'huile d'olive, le jus de citron, le vinaigre, le sucre, du sel et du poivre.

3 Verser la vinaigrette sur la salade et remuer pour mélanger.

Salade d'orzo grecque aux olives et aux poivrons

4 PORTIONS • 30 MINUTES DE PRÉPARATION • 30 MINUTES DE CUISSON

350 g (12 oz) d'orzo (pâte en forme de grain de riz)

170 g (6 oz) de feta émiettée

1 poivron rouge haché fin

1 poivron jaune haché fin

1 poivron vert haché fin

170 g (6 oz) d'olives Kalamata hachées

4 ciboules émincées

30 ml (2 c. à soupe) de câpres égouttées

45 ml (3 c. à soupe) de pignons de pin grillés

Vinaigrette

Jus et zeste de 2 citrons

15 ml (1 c. à soupe) de vinaigre de vin blanc

4 grosses gousses d'ail hachées fin

7 ml (1½ c. à thé) d'origan séché

5 ml (1 c. à thé) de moutarde de Dijon

5 ml (1 c. à thé) de cumin moulu

100 ml (3½ oz) d'huile d'olive

1 Cuire l'orzo dans une grande marmite d'eau salée bouillante, jusqu'à ce qu'il soit tendre mais ferme sous la dent. Égoutter et rincer sous l'eau froide, puis mettre dans un grand bol avec un peu d'huile d'olive.

2 Ajouter la feta, les poivrons, les olives, les ciboules et les câpres.

3 Pour faire la vinaigrette, battre ensemble le jus et le zeste de citron, le vinaigre, l'ail, l'origan, la moutarde et le cumin dans un petit bol. Incorporer graduellement l'huile d'olive, puis saler et poivrer au goût.

4 Arroser la salade de vinaigrette et bien remuer. Garnir de pignons grillés et servir.

Salade tiède de haricots de Lima et de roquette au prosciutto

4 PORTIONS • 12 HEURES DE PRÉPARATION • 8 MINUTES DE CUISSON

500 g (1 lb) de haricots de Lima secs
30 ml (2 c. à soupe) d'huile d'olive
2 ml (½ c. à thé) de flocons de piment
3 gousses d'ail hachées fin
100 g (3½ oz) de prosciutto haché grossièrement
Sel et poivre noir du moulin
10 feuilles de basilic déchiquetées
2 poignées de roquette

1 Mettre les haricots de Lima dans un grand bol d'eau tiède et laisser tremper toute la nuit.

2 Le lendemain, égoutter les haricots et les verser dans une casserole d'eau froide. Porter à ébullition et laisser mijoter 1 heure ou jusqu'à ce qu'ils soient tout juste tendres. Égoutter, en réservant 1 ou 2 louches d'eau de cuisson.

3 Chauffer l'huile d'olive dans une poêle moyenne. Mettre les flocons de piment et l'ail, et faire sauter rapidement, jusqu'à ce que l'ail soit doré. Ajouter le prosciutto et remuer à feu modéré environ 2 minutes, jusqu'à ce qu'il commence à brunir. Ajouter les haricots de Lima et cuire environ 3 minutes, en remuant occasionnellement; ajouter de l'eau de cuisson réservée si la préparation semble un peu sèche.

4 Saler et poivrer. Ajouter le basilic et la roquette. Remuer délicatement et servir tiède.

SALADE DE PÂTES À L'AIL RÔTI

8 PORTIONS • 15 MINUTES DE PRÉPARATION • 40 MINUTES DE CUISSON

20 gousses d'ail non pelées
8 tranches de bacon hachées
30 g (1 oz) de beurre
500 ml (2 tasses) de chapelure faite avec du pain rassis
125 ml (½ tasse) de mélange d'herbes fraîches hachées
Poivre noir du moulin
750 g (1½ lb) de spaghettis

1 Préchauffer le four à 180 °C (350 °F). Placer les gousses d'ail non pelées sur une plaque à cuisson légèrement graissée et cuire de 10 à 12 minutes, jusqu'à ce qu'elles soient tendres et dorées. Peler l'ail et réserver.

2 Cuire le bacon dans une poêle à feu moyen de 4 à 5 minutes, ou jusqu'à ce qu'il soit croustillant. Égoutter sur du papier absorbant.

3 Faire fondre le beurre dans une poêle propre, ajouter la chapelure, les herbes et le poivre, et cuire en remuant de 4 à 5 minutes, jusqu'à ce que la chapelure soit dorée.

4 Porter une grande casserole d'eau salée à ébullition, ajouter les pâtes et cuire 8 minutes, ou jusqu'à ce qu'elles soient tout juste fermes au centre (*al dente*). Bien égoutter et mettre dans un bol de service chaud. Ajouter l'ail, le bacon et le mélange de chapelure. Remuer et servir immédiatement.

L'ail, le bacon et le mélange de chapelure peuvent être préparés plusieurs heures à l'avance.
Il ne restera qu'à cuire les pâtes et à assembler la salade au dernier moment.

SALADE DE RIZ AU GINGEMBRE THAÏLANDAISE

500 ml (2 tasses) de riz à grain long	**Vinaigrette**
5 ciboules émincées finement en diagonale	30 ml (2 c. à soupe) d'huile d'arachide
3 carottes moyennes râpées grossièrement	Jus de 2 limes
Feuilles lavées et hachées de 4 bébés bok choy	45 ml (3 c. à soupe) de sauce de poisson thaïe
2 feuilles de combava émincées finement	30 ml (2 c. à soupe) de sucre de palme
125 ml (½ tasse) de coriandre hachée grossièrement	30 ml (2 c. à soupe) de sauce chili douce
375 ml (1½ tasse) de cacahuètes grillées et hachées	15 ml (1 c. à soupe) de gingembre haché fin
15 ml (1 c. à soupe) de graines de sésame noires	1 pincée d'assaisonnement au chili ou de poivre de Cayenne
30 ml (2 c. à soupe) de basilic thaï haché fin	Sel et poivre noir du moulin

1. Porter une grande casserole d'eau salée à ébullition. Verser le riz et laisser mijoter de 8 à 10 minutes, ou jusqu'à tendreté. Égoutter et bien rincer sous l'eau froide. Égoutter de nouveau.

2. Entre-temps, fouetter ensemble tous les ingrédients de la vinaigrette et laisser reposer jusqu'à ce que le riz soit prêt.

3. Préparer tous les légumes, puis mélanger avec les feuilles de combava, la coriandre, les cacahuètes et les graines de sésame. Ajouter le riz cuit et bien remuer.

4. Arroser de vinaigrette la préparation de riz aux légumes et bien mélanger pour enrober tous les ingrédients. Garnir de basilic thaï et servir.

SALADE DE MAÏS GRILLÉ ET DE HARICOTS MEXICAINE

6 À 8 PORTIONS • 12 MINUTES DE PRÉPARATION • 15 MINUTES DE CUISSON

4 épis de maïs	400 g (14 oz) de haricots de Lima en conserve rincés
2 poivrons rouges hachés	400 g (14 oz) de haricots rouges en conserve rincés
1 poivron vert haché	125 ml (½ tasse) de bouillon de légumes
1 oignon rouge haché	5 ml (1 c. à thé) de Tabasco
15 ml (1 c. à soupe) de paprika	5 ml (1 c. à thé) de sucre
15 ml (1 c. à soupe) de cumin moulu	Jus de 2 limes
30 ml (2 c. à soupe) d'huile	125 ml (½ tasse) de coriandre fraîche hachée
2 gousses d'ail hachées fin	Sel et poivre noir du moulin
6 mini-courges jaunes	

1 Couper les grains de maïs et jeter les rafles.

2 Dans une grande casserole antiadhésive, mélanger les grains de maïs, les poivrons, l'oignon, le paprika et le cumin. Cuire à feu vif, en remuant souvent, jusqu'à ce que les légumes commencent à noircir et à cloquer. Retirer les légumes de la casserole et réserver.

3 Mettre l'huile, l'ail et les courges dans la même casserole et cuire 4 minutes, en remuant constamment.

4 Ajouter les haricots de Lima, les haricots rouges, le bouillon, le Tabasco et le sucre. Cuire jusqu'à ce que le liquide se soit évaporé et que les légumes soient chauds.

5 Retirer du feu et ajouter le jus de lime et la coriandre fraîche. Saler et poivrer au goût. Ajouter la préparation au maïs et bien mélanger pour enrober tous les légumes. Servir chaud ou à température ambiante.

Salade de haricots et d'artichauts du Moyen-Orient

6 À 8 PORTIONS • 10 MINUTES DE PRÉPARATION • 12 À 15 MINUTES DE CUISSON

600 g (20 oz) de haricots verts	
800 g (28 oz) de pois chiches en conserve égouttés et rincés	
8 cœurs d'artichauts marinés coupés en quartiers	
1 petit oignon rouge pelé et émincé finement	
1 carotte moyenne râpée	
125 ml (½ tasse) de persil haché	
125 ml (½ tasse) de coriandre hachée	
30 ml (2 c. à soupe) d'aneth frais	
100 g (3½ oz) de noisettes grillées et hachées grossièrement	

Vinaigrette

30 ml (2 c. à soupe) de vinaigre de vin blanc
45 ml (3 c. à soupe) d'huile d'olive
1 gousse d'ail hachée fin
5 ml (1 c. à thé) de moutarde
5 ml (1 c. à thé) de cumin moulu
Jus d'un gros citron
Sel et poivre noir du moulin

1 Cuire les haricots à la vapeur jusqu'à ce qu'ils soient vert vif et juste tendres (ne pas trop cuire). Bien égoutter et rafraîchir dans l'eau froide, puis couper en deux diagonalement.

2 Mettre dans un grand bol et ajouter les pois chiches, les cœurs d'artichauts, l'oignon rouge, la carotte, le persil, la coriandre et l'aneth. Bien mélanger.

3 Dans un pot, battre tous les ingrédients de la vinaigrette jusqu'à émulsion (épaississement). Verser sur la préparation aux légumes et bien remuer pour enrober tous les ingrédients.

4 Parsemer de noisettes grillées et servir.

SALADE DE POIS CHICHES ET D'ÉPINARDS INDIENNE

8 PORTIONS • 2 HEURES DE PRÉPARATION • 30 MINUTES DE CUISSON

500 ml (2 tasses) de pois chiches secs	10 ml (2 c. à thé) de garam masala
4 oignons	45 ml (3 c. à soupe) de pâte de tomate
5 ml (1 c. à thé) de clous de girofle entiers	2 poivrons rouges coupés en lanières
4 feuilles de laurier	4 courgettes moyennes
60 ml (¼ tasse) d'huile d'arachide ou d'olive	coupées en tranches diagonales
4 gousses d'ail hachées fin	Sel et poivre noir du moulin
5 ml (1 c. à thé) de curcuma moulu	500 g (1 lb) de jeunes épinards
10 ml (2 c. à thé) de cumin moulu	

1 Trier les pois chiches : jeter ceux qui sont décolorés et verser les autres dans une grande casserole; couvrir d'eau froide. Peler deux des oignons et couper chacun en deux. Mettre dans la casserole avec les pois chiches. Ajouter les clous de girofle et les feuilles de laurier, porter à ébullition et laisser mijoter 10 minutes. Retirer la casserole du feu, couvrir et laisser reposer 2 heures. Égoutter les pois chiches en réservant l'eau de trempage; jeter les oignons, les clous de girofle et les feuilles de laurier.

2 Peler et hacher les deux oignons restants. Chauffer l'huile et faire sauter les oignons et l'ail. Ajouter toutes les épices et cuire rapidement pour libérer leurs parfums. Ajouter les pois chiches, 500 ml (2 tasses) de liquide de trempage, la pâte de tomate et les lanières de poivron rouge.

3 Couvrir et laisser mijoter à feu doux environ 20 minutes, jusqu'à ce que les pois chiches s'attendrissent et que le liquide s'évapore. Ajouter les courgettes, saler et poivrer au goût, bien remuer, puis retirer du feu. Laisser refroidir légèrement avant d'incorporer les épinards.

4 Laisser refroidir complètement et servir.

SALADE DE PÂTES AUX ASPERGES

4 PORTIONS • 10 MINUTES DE PRÉPARATION • 25 MINUTES DE CUISSON

500 g (1 lb) de linguines au piment
250 g (8 oz) d'asperges coupées en deux
150 g (5 oz) de brins de cresson
60 g (2 oz) de beurre
Feuilles hachées de 4 brins de romarin frais
Poivre noir du moulin
Copeaux de parmesan frais
Quartiers de lime

1 Porter une grande casserole d'eau salée à ébullition. Ajouter les pâtes et cuire 8 minutes, ou jusqu'à ce qu'elles soient juste fermes au centre (*al dente*). Bien égoutter et rincer sous l'eau froide, égoutter de nouveau et réserver.

2 Cuire les asperges à la vapeur, jusqu'à ce qu'elles soient tendres. Mélanger les asperges cuites et le cresson avec les pâtes.

3 Mettre le beurre et le romarin dans une petite casserole, et cuire à feu doux jusqu'à ce que le beurre soit doré. Répartir les pâtes dans quatre bols de service; asperger de beurre au romarin, poivrer et garnir de copeaux de parmesan. Servir avec des quartiers de lime.

Les pâtes au piment sont en vente dans les épiceries fines et les magasins d'alimentation spécialisés. À défaut, on peut utiliser des pâtes ordinaires et ajouter du piment frais haché au beurre au romarin.

SALADE DE RIZ SAUVAGE ÉPICÉ

4 PORTIONS • 15 MINUTES DE PRÉPARATION • 25 MINUTES DE CUISSON

400 g (14 oz) de mélange de riz sauvage (riz brun et riz sauvage)	90 g (3 oz) de pistaches grillées et hachées grossièrement
30 ml (2 c. à soupe) d'huile végétale	90 g (3 oz) de raisins secs
2 oignons coupés en fins quartiers	60 g (2 oz) d'amandes effilées grillées
5 ml (1 c. à thé) de cumin moulu	3 ciboules émincées
2 ml (½ c. à thé) de cannelle moulue	10 brins d'aneth frais hachés
1 ml (¼ c. à thé) de clou de girofle moulu	Vinaigrette
1 ml (¼ c. à thé) de gingembre moulu	5 ml (1 c. à thé) de moutarde de Dijon
2 carottes tranchées fin	125 ml (½ tasse) d'huile d'olive
5 ml (1 c. à thé) de miel	60 ml (¼ tasse) de jus d'orange
2 oranges en quartiers	15 ml (1 c. à soupe) de vinaigre de vin rouge

1 Dans une casserole, mélanger le riz avec 875 ml (3½ tasses) d'eau. Porter à ébullition, réduire le feu à doux, couvrir et laisser cuire 15 minutes. Retirer la casserole du feu et laisser reposer 10 minutes, sans découvrir. Bien égoutter et mettre de côté.

2 Chauffer l'huile à feu moyen dans une poêle antiadhésive. Mettre les oignons, le cumin, la cannelle, le clou de girofle et le gingembre. Cuire 10 minutes, en remuant, ou jusqu'à ce que les oignons soient tendres et légèrement caramélisés. Ajouter les carottes et poursuivre la cuisson jusqu'à tendreté. Incorporer le miel, puis retirer du feu et laisser tiédir.

3 Dans un saladier, mélanger le riz, la préparation aux carottes, les oranges, les pistaches, les raisins secs, les amandes, les ciboules et l'aneth.

4 Dans un bol, battre ensemble tous les ingrédients de la vinaigrette. Verser sur la salade et remuer.

À défaut de mélange de riz sauvage, utiliser 175 ml (¾ tasse) de riz brun et 60 ml (¼ tasse) de riz sauvage. Les deux variétés de riz peuvent être cuites ensemble.

SALADE DE BOULGOUR AUX POIVRONS GRILLÉS

4 PORTIONS • 35 MINUTES DE PRÉPARATION , PLUS LE TEMPS DE TREMPAGE • 20 MINUTES DE CUISSON

	Vinaigrette
250 g (8 oz) de boulgour	60 ml (4 c. à soupe) d'huile d'olive extra vierge
2 poivrons jaunes coupés en quatre et épépinés	15 ml (1 c. à soupe) de moutarde à l'ancienne
250 g (8 oz) de haricots verts coupés en deux	1 gousse d'ail écrasée
2 tomates mûres	5 ml (1 c. à thé) de vinaigre balsamique
4 ciboules émincées	5 ml (1 c. à thé) de vinaigre de vin blanc
90 g (3 oz) de noix du Brésil hachées grossièrement	
125 ml (½ tasse) de persil frais haché	
Sel de mer et poivre noir du moulin	

1 Mettre le boulgour dans un bol et verser de l'eau bouillante de façon qu'elle dépasse le boulgour d'environ 2 cm (¾ po). Laisser tremper 20 minutes. Entre-temps, préchauffer le gril à feu élevé. Griller les poivrons (peau vers le haut) de 15 à 20 minutes, jusqu'à ce que la peau soit cloquée et noire. Transférer dans un sac de plastique, fermer et laisser tiédir. Lorsqu'ils ont suffisamment refroidi pour être manipulés, enlever et jeter la peau brûlée, puis hacher grossièrement la chair.

2 Blanchir les haricots de 3 à 4 minutes, égoutter, rafraîchir sous l'eau froide et réserver. Mettre les tomates dans un bol, couvrir d'eau bouillante et laisser tremper 30 secondes. Peler, épépiner, puis hacher grossièrement la chair.

3 Bien mélanger ensemble tous les ingrédients de la vinaigrette. Égoutter le boulgour et verser dans un saladier. Arroser de vinaigrette et bien remuer. Incorporer délicatement les légumes, les ciboules, les noix du Brésil, le persil, le sel et le poivre.

Cette salade est délicieuse, rassasiante et nutritive. La moutarde et le vinaigre balsamique dans la vinaigrette réveillent les saveurs des autres ingrédients.

SALADE DE NOUILLES DE RIZ AUX FINES HERBES VIETNAMIENNE, GARNIE DE CACAHUÈTES ET D'ASPERGES

4 PORTIONS • 1 HEURE 10 MINUTES DE PRÉPARATION • 10 MINUTES DE CUISSON

45 ml (3 c. à soupe) de vinaigre de riz	6 ciboules tranchées fin
15 ml (1 c. à soupe) de sucre	3 tomates italiennes coupées en petits dés
1 petit oignon rouge coupé en fines rondelles	175 ml (¾ tasse) de cacahuètes légèrement écrasées
250 g (8 oz) de nouilles de riz sèches	Jus de 2 limes
2 bottes d'asperges	10 ml (2 c. à thé) de sauce de poisson
75 ml (⅓ tasse) de feuilles de menthe hachées	10 ml (2 c. à thé) d'huile d'olive
75 ml (⅓ tasse) de feuilles de coriandre hachées	2 ml (½ c. à thé) de flocons de piment
1 concombre anglais pelé, épépiné et tranché fin	

1 Pour commencer, battre ensemble le vinaigre et le sucre, et verser sur les rondelles d'oignon. Laisser mariner 1 heure, en remuant fréquemment.

2 Couvrir les nouilles d'eau bouillante et laisser tremper 5 minutes, puis bien égoutter.

3 Couper les bouts durs des asperges et le reste en tronçons de 2 cm (¾ po) de longueur. Cuire les tronçons dans l'eau salée 2 minutes, jusqu'à ce qu'ils soient vert vif et juste tendres. Rincer à l'eau froide pour rafraîchir.

4 Pendant que les nouilles sont encore tièdes, les mélanger avec les oignons marinés, puis, à l'aide de ciseaux de cuisine, les couper en longueurs raisonnables.

5 Ajouter les asperges cuites, la menthe, la coriandre, le concombre, les ciboules, les tomates et les cacahuètes. Bien remuer.

6 Battre ensemble le jus de lime, la sauce de poisson, l'huile et les flocons de piment, et en arroser la salade de nouilles. Servir à température ambiante.

Salade de haricots et d'artichauts

4 PORTIONS • 25 MINUTES DE PRÉPARATION • 5 MINUTES DE CUISSON

250 g (8 oz) de haricots verts coupés en tronçons de 2,5 cm (1 po)
1 poivron rouge coupé en fines lanières
250 g (8 oz) de haricots de Lima en conserve égouttés et rincés
400 g (14 oz) de cœurs d'artichauts marinés égouttés et coupés en deux
30 ml (2 c. à soupe) d'huile d'olive
60 ml (4 c. à soupe) de vinaigre
Poivre noir du moulin

1 Cuire les haricots verts à la vapeur, jusqu'à ce qu'ils soient tout juste tendres. Rafraîchir sous l'eau froide. Réserver.

2 Dans un bol d'eau glacée, faire tremper les lanières de poivron 20 minutes, ou jusqu'à ce qu'elles soient courbées.

3 Placer les haricots verts, le poivron, les haricots de Lima, les cœurs d'artichauts, l'huile, le vinaigre et le poivre noir dans un bol, et remuer pour mélanger.

SALADE DE HARICOTS AU THON ITALIENNE

4 PORTIONS • 5 MINUTES DE PRÉPARATION

185 g (6 oz) de thon à l'huile en conserve	**Vinaigrette**
400 g (14 oz) de haricots borlotti en conserve égouttés et rincés	60 ml (4 c. à soupe) d'huile d'olive
1 petit oignon rouge coupé en fines rondelles	30 ml (2 c. à soupe) de vinaigre balsamique ou de vinaigre de vin blanc
2 branches de céleri tranchées fin	Sel et poivre noir du moulin
125 ml (½ tasse) de persil plat haché	

1 Égoutter le thon en réservant l'huile. Pour faire la vinaigrette, battre l'huile de thon réservée avec l'huile d'olive et le vinaigre. Saler et poivrer.

2 Émietter le thon dans un saladier et mélanger avec les haricots borlotti, l'oignon rouge, le céleri et le persil. Arroser de vinaigrette, à l'aide d'une cuillère, puis remuer pour bien mélanger.

INSALATA SPIRALE

4 PORTIONS • 2 HEURES 20 MINUTES DE PRÉPARATION • 20 MINUTES DE CUISSON

500 g (1 lb) de pâtes spirales	12 feuilles de basilic frais
100 g (3½ oz) de tomates séchées tranchées fin	60 g (2 oz) de copeaux de parmesan
100 g (3½ oz) de cœurs d'artichauts marinés égouttés et hachés	15 ml (1 c. à soupe) d'huile d'olive
75 g (2½ oz) de poivron séché ou grillé, haché	45 ml (3 c. à soupe) de vinaigre balsamique ou de vinaigre de vin rouge
125 g (4 oz) d'olives noires marinées	

1 Porter une grande casserole d'eau salée à ébullition, ajouter les pâtes et cuire 8 minutes, ou jusqu'à ce qu'elles soient juste fermes au centre (*al dente*). Égoutter, rincer sous l'eau froide et laisser refroidir complètement.

2 Dans un saladier, mélanger ensemble les pâtes, les tomates séchées, les cœurs d'artichauts, le poivron, les olives, le basilic, le parmesan, l'huile et le vinaigre. Couvrir et réfrigérer au moins 2 heures ou toute la nuit.

SALADE DE RIZ AUX TROIS HARICOTS

4 PORTIONS • 20 MINUTES DE PRÉPARATION • 30 MINUTES DE CUISSON

250 ml (1 tasse) de riz brun	**Vinaigrette**
175 g (6 oz) de jeunes fèves (gourganes) surgelées	150 ml (5 oz) de jus de tomate
400 g (14 oz) de haricots à œil noir	15 ml (1 c. à soupe) d'huile d'olive
en conserve égouttés et rincés	15 ml (1 c. à soupe) de vinaigre de vin blanc
250 g (8 oz) de haricots rouges	10 ml (2 c. à thé) de moutarde de Dijon
en conserve égouttés et rincés	1 gousse d'ail écrasée
1 poivron rouge épépiné et coupé en morceaux	60 ml (¼ tasse) de coriandre fraîche hachée, et un
1 botte de ciboules hachée	peu plus pour garnir
	Poivre noir du moulin

1   Dans une casserole, mélanger le riz avec 375 ml (1½ tasse) d'eau. Porter à ébullition, réduire le feu à doux, couvrir et laisser cuire 15 minutes. Retirer la casserole du feu et laisser reposer 10 minutes, sans découvrir. Entre-temps, cuire les jeunes fèves de 4 à 5 minutes dans une casserole d'eau bouillante, jusqu'à ce qu'elles soient tendres. Rincer le riz sous l'eau froide, égoutter et verser dans un saladier.

2   Dans un petit bol, bien battre ensemble tous les ingrédients de la vinaigrette.

3   Verser la vinaigrette sur le riz et bien remuer. Ajouter les fèves, les haricots à œil noir, les haricots rouges, le poivron et les ciboules, et bien mélanger. Couvrir et réfrigérer avant de servir. Garnir de coriandre.

Salade tiède de conchiglies à la méditerranéenne

4 PORTIONS • 20 MINUTES DE PRÉPARATION • 10 MINUTES DE CUISSON

175 g (6 oz) de conchiglies (pâtes en forme de coquille)

150 g (5 oz) de haricots verts fins coupés en deux

4 ciboules émincées

1 poivron vert épépiné et haché

125 g (4 oz) de tomates cerises coupées en deux

1 gros avocat mûr haché

Poivre noir du moulin

Feuilles déchirées de 2 brins de basilic frais

Vinaigrette

45 ml (3 c. à soupe) d'huile d'olive ou de tournesol

15 ml (1 c. à soupe) de vinaigre de vin blanc

15 ml (1 c. à soupe) de miel liquide

5 ml (1 c. à thé) de moutarde de Dijon

1 Mettre tous les ingrédients de la vinaigrette dans un bocal à couvercle vissant et bien secouer pour mélanger.

2 Porter une grande casserole d'eau salée à ébullition et cuire les pâtes 6 minutes. Ajouter les haricots verts et cuire 2 minutes, ou jusqu'à ce que les pâtes soient tendres, mais encore fermes sous la dent (al dente), et que les haricots aient ramolli. Bien égoutter.

3 Mettre les pâtes et les haricots dans un grand bol, avec les ciboules, le poivron vert, les tomates cerises, l'avocat et le poivre. Arroser de vinaigrette et bien remuer. Garnir de basilic.

TABOULÉ ESTIVAL

4 PORTIONS • 25 MINUTES DE PRÉPARATION • 10 MINUTES DE CUISSON

175 g (6 oz) de boulgour	60 ml (¼ tasse) de coriandre fraîche hachée
2 œufs moyens	¼ petite botte de ciboulette hachée
1 oignon rouge haché fin	125 ml (½ tasse) de menthe fraîche hachée
2 gousses d'ail hachées fin	Zeste râpé et jus d'un citron
1 poivron rouge épépiné et haché fin	Zeste râpé et jus d'une lime
1 poivron jaune épépiné et haché fin	45 ml (3 c. à soupe) d'huile d'olive
60 ml (¼ tasse) de persil frais haché	Sel et poivre noir du moulin

1 Mettre le boulgour dans un bol et verser de l'eau bouillante de façon qu'elle dépasse le boulgour d'environ 2,5 cm (1 po). Laisser tremper 20 minutes, puis égoutter.

2 Pendant ce temps, porter une casserole d'eau à ébullition. Ajouter les œufs et faire bouillir 10 minutes. Refroidir sous l'eau froide, écaler et écraser dans un saladier.

3 Ajouter l'oignon, l'ail, les poivrons, le persil, la coriandre, la ciboulette, la menthe, les zestes et jus d'agrumes, l'huile et le boulgour. Bien mélanger. Saler et poivrer au goût avant de servir.

SALADE D'ORGE À LA FETA ET AUX POIRES

6 PORTIONS • 20 MINUTES DE PRÉPARATION • 30 MINUTES DE CUISSON

250 ml (1 tasse) d'orge perlé	100 g (3½ oz) de roquette
125 ml (½ tasse) de noix	100 g (3½ oz) de feta émiettée
250 ml (1 tasse) de feuilles de persil plat	Jus d'un citron
3 branches de céleri	45 ml (3 c. à soupe) d'huile d'olive extra vierge
1 à 2 poires mûres et fermes	Sel et poivre noir du moulin

1 Mettre l'orge dans une grande casserole, couvrir partiellement d'eau chaude et faire bouillir environ 30 minutes jusqu'à tendreté.

2 Pendant que l'orge cuit, griller les noix à sec dans une petite poêle, jusqu'à ce qu'elles soient dorées et parfumées. Réserver.

3 Hacher le persil et émincer le céleri. Peler et étrogner la poire; couper en fines lamelles et mélanger avec la roquette, le persil et le céleri.

4 Égoutter l'orge dans une passoire et transférer dans un bol. Ajouter la feta et les noix, et bien mélanger. Ajouter la préparation aux poires.

5 Battre le jus de citron, l'huile, le sel et le poivre. Verser sur la salade et bien remuer.

SALADES DE LÉGUMES

Chauds ou froids, les légumes multicolores sont un régal pour les yeux et le palais. Servez une Salade de chou au gingembre asiatique avec du poulet rôti ou une Salade tiède de pommes de terre aux herbes avec de l'agneau grillé. Pour un repas complètement végétarien, essayez la Salade d'asperges et de tomates arrosée de vinaigrette au concombre; les possibilités sont infinies.

ASPERGES ET JEUNES HARICOTS VERTS ARROSÉS DE VINAIGRETTE AUX NOISETTES

4 PORTIONS • 35 MINUTES DE PRÉPARATION • 15 MINUTES DE CUISSON

6 bottes d'asperges parées
1 kg (2 lb) de jeunes haricots verts parés
2 poivrons rouges coupés en fine julienne

Vinaigrette
50 ml (1½ oz) de jus de citron
50 ml (1½ oz) de vinaigre de vin blanc
3 jaunes d'œufs
250 ml (1 tasse) d'huile de noisette
½ petit bouquet d'aneth haché
250 ml (1 tasse) de noisettes grillées et hachées
Sel et poivre noir du moulin

1. Pour faire la vinaigrette, passer le jus de citron, le vinaigre et les jaunes d'œufs au robot culinaire, jusqu'à ce que le mélange soit pâle et crémeux. Incorporer l'huile lentement, jusqu'à ce que la vinaigrette prenne. Ajouter l'aneth et les noisettes, et assaisonner au goût.

2. Porter une grande casserole d'eau à ébullition. Cuire les asperges et les haricots de 1 à 2 minutes, jusqu'à ce qu'ils soient juste tendres.

3. Égoutter et transférer sur un plat de service. Ajouter la julienne de poivron, arroser de vinaigrette, remuer et servir.

Salade calabraise

6 PORTIONS • 1 HEURE 15 MINUTES DE PRÉPARATION • 20 MINUTES DE CUISSON

4 grosses pommes de terre non pelées, grattées et lavées

8 tomates italiennes fermes

3 oignons rouges émincés finement, puis trempés 30 minutes dans l'eau froide

15 feuilles de basilic frais

5 ml (1 c. à thé) d'origan séché

60 ml (4 c. à soupe) d'huile d'olive

45 ml (3 c. à soupe) de vinaigre de vin blanc ou rouge

Sel et poivre noir du moulin

1 Mettre les pommes de terre dans une casserole, couvrir d'eau froide et faire bouillir de 15 à 20 minutes, jusqu'à ce qu'elles soient juste tendres. Égoutter et laisser tiédir. Peler et couper en fines tranches.

2 Fendre les tomates en deux dans le sens de la longueur et retirer le cœur dur. Émincer les moitiés de tomate et placer dans un bol avec les pommes de terre. Ajouter les oignons rouges et bien remuer.

3 Ajouter les feuilles de basilic, l'origan, l'huile d'olive et le vinaigre. Saler et poivrer au goût. Bien mélanger et servir aussitôt.

PANZANELLA TOSCANE ARROSÉE DE VINAIGRETTE AUX TOMATES GRILLÉES

4 PORTIONS • 35 MINUTES DE PRÉPARATION • 10 MINUTES DE CUISSON

300 g (10 oz) de pain de campagne italien rassis	**Vinaigrette**
30 ml (2 c. à soupe) d'huile d'olive	2 petites tomates
Feuilles hachées de 2 brins de romarin frais	60 ml (¼ tasse) d'huile d'olive
500 g (1 lb) de tomates assorties	15 ml (1 c. à soupe) de vinaigre de vin rouge
1 concombre	7 ml (½ c. à soupe) de vinaigre balsamique
10 olives Kalamata	2 gousses d'ail
1 petit oignon rouge haché fin	Sel et poivre noir du moulin
10 feuilles de basilic déchirées	
2 feuilles de menthe tranchées fin	
Feuilles de 8 brins de marjolaine	

1 Préchauffer le four à 200 °C (400 °F). Couper le pain en cubes et mélanger avec l'huile d'olive et le romarin. Étaler sur une plaque à cuisson et cuire au four 5 minutes, jusqu'à ce que les cubes soient dorés. Laisser refroidir.

2 Pour faire la vinaigrette, chauffer une casserole à fond épais et badigeonner d'un peu d'huile d'olive la peau des deux petites tomates. Cuire jusqu'à ce que les tomates soient entièrement noires. Réduire en purée avec le reste d'huile d'olive, les vinaigres et l'ail. Saler et poivrer au goût. Réserver.

3 Épépiner les tomates assorties et couper la chair en petits morceaux. Peler le concombre, trancher en deux dans le sens de la longueur et enlever les pépins en passant une cuillère à thé le long de la partie centrale. Émincer le concombre épépiné. Dénoyauter les olives en les écrasant avec le plat d'un couteau large.

4 Dans un saladier, mélanger les cubes de pain, les tomates, le concombre, l'oignon, les olives et les herbes fraîches. Arroser de vinaigrette et bien remuer. Laisser reposer 10 minutes avant de servir.

SALADE TIÈDE DE POIVRON AU ROMARIN

4 PORTIONS • 10 MINUTES DE PRÉPARATION • 40 MINUTES DE CUISSON

6 gros poivrons de différentes couleurs
30 ml (2 c. à soupe) d'huile d'olive vierge
1 gros oignon rouge coupé en huit
6 brins de romarin frais
3 gousses d'ail hachées fin
15 ml (1 c. à soupe) de vinaigre balsamique
Sel et poivre noir du moulin

1 Trancher les quatre côtés de chaque poivron et jeter le cœur. Couper les quartiers en longues lanières fines.

2 Chauffer l'huile d'olive dans une poêle et faire sauter l'oignon et le romarin 3 minutes à feu vif. Ajouter l'ail et les lanières de poivron, et bien remuer.

3 Continuer à cuire 30 minutes à feu doux, en brassant souvent, jusqu'à ce que les poivrons se flétrissent et que les oignons caramélisent légèrement. Ajouter le vinaigre balsamique et prolonger la cuisson de 5 minutes.

4 Saler et poivrer au goût. Servir tiède.

Pour servir cette salade en hors-d'œuvre à l'italienne, cuire la préparation aux poivrons à feu moyen-fort (plutôt qu'à doux) pendant 30 minutes, jusqu'à ce que les lanières de poivron soient presque fondantes.

LÉGUMES VERTS D'ÉTÉ À LA LIME ET À LA CORIANDRE

4 À 6 PORTIONS • 15 MINUTES DE PRÉPARATION • 8 MINUTES DE CUISSON

250 g (8 oz) de pois mange-tout parés	**Vinaigrette**
2 bottes d'asperges coupées en deux	30 ml (2 c. à soupe) de jus de lime
250 g (8 oz) de pois sugar snap parés	125 ml (½ tasse) de coriandre hachée
250 g (8 oz) de petits pois frais	125 ml (½ tasse) d'huile d'olive
125 g (4 oz) de tomates cerises coupées en deux	15 ml (1 c. à soupe) de vinaigre de vin blanc

1 Blanchir les pois mange-tout, les asperges et les pois sugar snap 30 secondes; égoutter et rafraîchir dans un bol d'eau glacée. Bien égoutter.

2 Cuire les petits pois dans l'eau bouillante 2 minutes, ou jusqu'à tendreté; égoutter et rafraîchir dans un bol d'eau glacée. Bien égoutter. Mélanger tous les légumes verts avec les tomates cerises.

3 Battre ensemble tous les ingrédients de la vinaigrette, verser sur les légumes, remuer et servir.

SALADE TIÈDE DE POMMES DE TERRE AUX HERBES

6 À 8 PORTIONS • 20 MINUTES DE PRÉPARATION • 40 MINUTES DE CUISSON

1,5 kg (3 lb) de pommes de terre Russet ou Idaho, non pelées et bien lavées	**Vinaigrette**
30 ml (2 c. à soupe) d'huile d'olive	150 ml (⅔ tasse) d'huile d'olive
4 oignons blancs tranchés	75 ml (⅓ tasse) de vinaigre de vin blanc
60 ml (¼ tasse) d'aneth frais haché	Jus d'un citron
60 ml (¼ tasse) de cerfeuil frais haché	3 gousses d'ail hachées
60 ml (¼ tasse) de persil frais haché	
Zeste d'un citron	
Sel et poivre noir du moulin	

1 Couper les pommes de terre en gros morceaux et faire bouillir dans l'eau salée 10 minutes, ou jusqu'à ce qu'elles soient tendres sans être molles. Dans une autre casserole, chauffer l'huile et faire sauter les oignons à feu vif environ 8 minutes, jusqu'à ce qu'ils soient dorés. Baisser le feu, couvrir et laisser mijoter 20 minutes.

2 Égoutter les pommes de terre et remettre dans la casserole.

3 Dans un pot, battre tous les ingrédients de la vinaigrette jusqu'à épaississement. Verser sur les pommes de terre et remuer, en incorporant les herbes fraîches et le zeste de citron. Saler et poivrer au goût.

4 Ajouter les oignons caramélisés et bien mélanger.

SALADE DE CHAMPIGNONS ET DE POIS MANGE-TOUT

4 PORTIONS • 5 MINUTES DE PRÉPARATION • 1 MINUTE DE CUISSON

250 g (8 oz) de champignons frais
125 g (4 oz) de pois mange-tout
125 ml (½ tasse) de mayonnaise
15 ml (1 c. à soupe) de jus de lime ou de citron
75 ml (5 c. à soupe) de crème sure légère
60 ml (¼ tasse) de persil frais haché
60 ml (¼ tasse) de cerfeuil frais haché
Sel et poivre noir du moulin
¼ petite botte de ciboulette hachée

1 Émincer finement les champignons. Enlever les fils des pois mange-tout, blanchir environ 10 secondes, égoutter et rafraîchir dans l'eau froide. Couper diagonalement chaque pois en 3 tronçons. Mettre dans un bol avec les champignons.

2 Dans un autre bol, mélanger la mayonnaise avec le jus de lime ou de citron, la crème sure, les herbes, le sel et le poivre.

3 Verser la vinaigrette sur les champignons et les pois mange-tout. Bien mélanger. Transférer dans un bol de service et garnir de ciboulette.

SALADE D'ASPERGES ET DE TOMATES ARROSÉE DE VINAIGRETTE AU CONCOMBRE

4 PORTIONS • 1 HEURE 10 MINUTES DE PRÉPARATION

	Vinaigrette
1 grosse botte d'asperges	1 petit concombre
4 petites tomates mûres	1 toute petite ciboule
Feuilles de laitues mélangées	1 pincée de sel
	Poivre noir du moulin
	30 ml (2 c. à soupe) de jus de citron
	15 ml (1 c. à soupe) de crème sure
	75 ml (⅓ tasse) d'huile de table
	75 ml (⅓ tasse) d'huile de noisette ou d'olive vierge
	75 ml (⅓ tasse) d'aneth haché

1. Préparer d'abord la vinaigrette. Peler et épépiner le concombre; couper la chair en morceaux. Hacher grossièrement la ciboule. Mettre le concombre et la ciboule dans une passoire. Saupoudrer de sel et laisser égoutter 1 heure. Rincer à l'eau froide et bien égoutter de nouveau. Réduire en purée au mélangeur ou au robot culinaire, ajouter le sel, le poivre, le jus de citron, la crème sure et les huiles en dernier lieu. Continuer à mélanger jusqu'à l'obtention d'une vinaigrette lisse. Ajouter l'aneth et réfrigérer.

2. Parer les asperges, cuire à la vapeur, puis couper en tronçons de 4 cm (1½ po). Peler les tomates, trancher en deux et épépiner. Détailler chaque moitié en lanières.

3. Disposer les feuilles de laitue sur des assiettes de service. Assaisonner les asperges et les tomates de vinaigrette et disposer sur chaque lit de verdure.

SALADE DE CÉLERI, DE CAROTTES ET DE POMMES ARROSÉE DE VINAIGRETTE AU TAHINI

4 PORTIONS • 15 MINUTES DE PRÉPARATION

3 carottes râpées
1 cœur de céleri tranché fin
2 pommes pelées, étrognées et tranchées fin
Vinaigrette
45 ml (3 c. à soupe) de jus de citron
1 gousse d'ail écrasée
30 ml (2 c. à soupe) de tahini (beurre de sésame)
Sel

1 Pour faire la vinaigrette, passer le jus de citron, l'ail, le tahini et 45 ml (3 c. à soupe) d'eau au robot culinaire, jusqu'à l'obtention d'une pâte lisse. Sinon, mélanger à l'aide d'une fourchette. Saler au goût.

2 Mélanger les carottes, le céleri et les pommes, et répartir dans des bols individuels. Arroser de vinaigrette.

SALADE TIÈDE DE LÉGUMES AU PROSCIUTTO

8 PORTIONS • 12 MINUTES DE PRÉPARATION • 25 MINUTES DE CUISSON

2 blancs de poireaux émincés	75 g (2½ oz) de jeunes épinards
200 g (7 oz) de fèves (gourganes) ou de petits pois écossés	Sel et poivre noir du moulin
150 g (5 oz) de pois mange-tout	3 tranches de prosciutto coupées en lanières
45 ml (3 c. à soupe) d'huile d'olive	2 gros champignons émincés très finement
1 gousse d'ail émincée finement	15 ml (1 c. à soupe) de jus de citron
3 ciboules coupées en tronçons de 5 cm (2 po)	60 g (2 oz) de copeaux de parmesan

1 Porter une grande casserole d'eau légèrement salée à ébullition. Faire bouillir les poireaux et les fèves (ou les petits pois) 2 minutes, puis ajouter les pois mange-tout et brasser quelques secondes. Égoutter et réserver.

2 Chauffer 30 ml (2 c. à soupe) d'huile dans la casserole. Cuire l'ail et les ciboules 1 minute, en remuant, pour les attendrir légèrement. Ajouter les épinards et remuer, jusqu'à ce qu'ils commencent à se flétrir. Ajouter les légumes cuits et le reste d'huile. Assaisonner légèrement et prolonger la cuisson de 2 minutes.

3 Ajouter le prosciutto et continuer à réchauffer de 1 à 2 minutes. Disposer la préparation sur un plat de service. Parsemer de champignons et asperger de jus de citron. Garnir de copeaux de parmesan et donner un tour de poivre du moulin.

INSALATA CAPRESE

400 g (14 oz) de tomates italiennes coupées en tranches épaisses

250 g (8 oz) de bocconcinis tranchés

125 ml (½ tasse) de feuilles de basilic déchiquetées

60 ml (4 c. à soupe) d'huile d'olive extra vierge

30 ml (2 c. à soupe) de vinaigre balsamique

Sel de mer et poivre noir du moulin

1 Disposer les tomates, les bocconcinis et le basilic sur des assiettes individuelles.

2 Arroser d'huile d'olive et de vinaigre balsamique. Saler et poivrer au goût.

3 Servir avec du pain croustillant.

PILA DI MELANZANA

4 PORTIONS • 20 MINUTES DE PRÉPARATION • 20 MINUTES DE CUISSON

60 ml (¼ tasse) d'huile d'olive
2 belles aubergines
100 g (3½ oz) de beurre
1 poivron rouge coupé en quatre
4 tomates italiennes coupées en rondelles
Poivre noir du moulin
4 bocconcinis coupés en rondelles
60 ml (¼ tasse) de feuilles de basilic
Sel de mer du moulin
Vinaigrette
60 ml (¼ tasse) d'huile d'olive
30 ml (2 c. à soupe) de vinaigre balsamique

1 Préchauffer le four à 150 °C (300 °F).

2 Chauffer et huiler légèrement une poêle à fond cannelé. Couper les aubergines en 8 rondelles de 1 à 1,5 cm (environ ½ po) d'épaisseur, badigeonner d'huile et griller chaque côté de 2 à 3 minutes. Placer les quartiers de poivron sous un gril chaud et cuire jusqu'à ce que la peau soit noire. Peler et trancher chaque quartier en 5 lanières.

3 Badigeonner d'huile les rondelles de tomates, saupoudrer de poivre, étaler sur une plaque à cuisson légèrement huilée et rôtir 15 minutes. Ajouter les rondelles d'aubergines et continuer à cuire 10 minutes.

4 Sur chaque assiette de service, déposer 2 rondelles d'aubergines et superposer successivement 3 lanières de poivron, 3 rondelles de tomates, 3 rondelles de bocconcinis et 2 autres lanières de poivron. Parsemer de feuilles de basilic.

5 Mélanger les ingrédients de la vinaigrette et en arroser chaque salade. Donner un bon tour de sel de mer et de poivre noir, avant de servir avec du pain italien croustillant.

ARTICHAUTS À LA POLITA

4 PORTIONS • 10 MINUTES DE PRÉPARATION • 8 MINUTES DE CUISSON

4 cœurs d'artichauts
75 ml (⅓ tasse) d'huile d'olive
6 échalotes hachées
½ bouquet d'aneth frais haché
8 petits oignons blancs pelés
340 g (12 oz) de mini-carottes pelées
8 petites pommes de terre nouvelles
Jus d'un citron
Sel et poivre noir du moulin
30 ml (2 c. à soupe) de fécule d'arrow-root

1. Enlever les feuilles extérieures des artichauts, couper les tiges et peler les bases. Trancher le tiers supérieur des artichauts, fendre en deux sur la hauteur et retirer le foin. Placer dans un bol d'eau froide citronnée pour empêcher de noircir.

2. Chauffer la moitié de l'huile dans une grande casserole. Ajouter les échalotes et l'aneth, et faire sauter pour attendrir.

3. Inciser les oignons en croix à la racine et placer dans une casserole. Ajouter les carottes, les pommes de terre, le jus de citron et le reste de l'huile. Saler et poivrer au goût. Mouiller d'eau à hauteur et laisser cuire 15 minutes.

4. Déposer les cœurs d'artichauts sur les légumes et poursuivre la cuisson 15 minutes jusqu'à tendreté.

5. À l'aide d'une écumoire, transférer les légumes dans un plat de service chauffé et garder au chaud.

6. Goûter l'eau de cuisson et rectifier l'assaisonnement au besoin. Délayer la fécule d'arrow-root dans suffisamment d'eau pour former une pâte, ajouter à l'eau de cuisson et remuer jusqu'à épaississement. Napper les légumes de sauce. Servir chaud en plat principal, accompagné de pain croustillant.

SALADE DE BETTERAVES, D'ORANGES ET DE FENOUIL

4 PORTIONS • **30 MINUTES DE PRÉPARATION** • **1 HEURE DE CUISSON**

	Vinaigrette
3 grosses betteraves	½ bouquet d'aneth haché
10 ml (2 c. à thé) de sucre brun	30 ml (2 c. à soupe) de vinaigre balsamique
5 ml (1 c. à thé) de sel	125 ml (½ tasse) d'huile d'olive
Feuilles hachées de 2 brins de romarin frais	Sel et poivre noir du moulin
30 ml (2 c. à soupe) d'huile d'olive	
1 bulbe de fenouil	
2 oranges sanguines	
100 g (3½ oz) de noisettes grillées et écrasées	

1. Préchauffer le four à 180 °C (350 °F). Laver et parer les betteraves aux extrémités, mais sans peler.

2. Dans un petit bol, bien mélanger ensemble le sucre brun, le sel, le romarin et l'huile. Ajouter les betteraves entières et remuer jusqu'à ce que les peaux soient toutes brillantes. Envelopper chaque betterave dans du papier d'aluminium, placer dans un plat allant au four, puis rôtir environ 1 heure, ou jusqu'à ce que la chair soit juste tendre. Éplucher les betteraves et couper en tranches épaisses.

3. Émincer finement le bulbe de fenouil. Peler les oranges, en éliminant la peau blanche, et couper en quartiers.

4. Battre ensemble tous les ingrédients de la vinaigrette jusqu'à épaississement.

5. Disposer les betteraves, le fenouil et les oranges sur un plat de service. Arroser de vinaigrette et parsemer de noisettes écrasées.

CHAMPIGNONS MARINÉS SUR UN LIT DE VERDURE

4 PORTIONS • 2 HEURES 20 MINUTES DE PRÉPARATION

350 g (12 oz) de champignons mélangés, tels que shiitakes, portobellos, champignons de Paris et pleurotes, coupés en tranches épaisses

100 g (3½ oz) de jeunes épinards

30 g (1 oz) de cresson sans les grosses tiges

4 brins de thym frais

Vinaigrette

45 ml (3 c. à soupe) d'huile d'olive extra vierge

30 ml (2 c. à soupe) de jus de pomme non sucré

10 ml (2 c. à thé) de vinaigre de vin blanc à l'estragon

10 ml (2 c. à thé) de moutarde de Dijon

1 gousse d'ail écrasée

60 ml (¼ tasse) de mélange d'herbes fraîches hachées, telles que de l'origan, du thym, de la ciboulette, du basilic et du persil

Poivre noir du moulin

1 Mettre tous les ingrédients de la vinaigrette dans un bol et bien battre à l'aide d'une fourchette.

2 Verser la vinaigrette sur les champignons et brasser. Couvrir et réfrigérer 2 heures.

3 Disposer les épinards et le cresson sur des assiettes de service. À l'aide d'une cuillère, déposer des champignons et un peu de vinaigrette sur la verdure, puis remuer légèrement pour mélanger. Garnir chaque assiette d'un brin de thym frais.

Salade de tomates et d'oignon arrosée de vinaigrette à la feta

6 PORTIONS • 5 MINUTES DE PRÉPARATION

4 grosses tomates coupées en fines rondelles

1 oignon rouge coupé en fines rondelles

Sel et poivre noir du moulin

60 ml (¼ tasse) de basilic frais haché

Vinaigrette

75 g (2½ oz) de feta émiettée

45 ml (3 c. à soupe) de yogourt nature

30 ml (2 c. à soupe) d'huile d'olive extra vierge

15 ml (1 c. à soupe) de vinaigre de vin blanc

1 Disposer les rondelles de tomate et d'oignon sur une grande assiette de service. Saler et poivrer.

2 À l'aide d'un robot culinaire ou d'un mélangeur à main, battre la feta, le yogourt, l'huile et le vinaigre jusqu'à consistance lisse. Asperger les tomates de vinaigrette, puis parsemer de basilic.

SALADE DE LAITUE À L'AVOCAT ET AUX CACAHUÈTES

4 PORTIONS • 7 MINUTES DE PRÉPARATION

2 petites laitues pommées

1 endive

2 petits avocats mûrs coupés en morceaux

3 ciboules hachées

45 ml (3 c. à soupe) de cacahuètes salées

Vinaigrette

15 ml (1 c. à soupe) de jus de citron

1 gousse d'ail écrasée

45 ml (3 c. à soupe) d'huile d'olive

30 ml (2 c. à soupe) de beurre d'arachide crémeux

Sel et poivre noir du moulin

1   Dans un bol, bien mélanger ensemble tous les ingrédients de la vinaigrette.

2   Détacher, laver et essorer les feuilles de laitue et d'endive. Disposer avec les morceaux d'avocats sur un grand plat peu profond. Arroser de vinaigrette et parsemer de ciboules et de cacahuètes.

SALADE DE LÉGUMES RÔTIS

4 PORTIONS • 20 MINUTES DE PRÉPARATION • 35 MINUTES DE CUISSON

3 oignons rouges coupés en quatre	
3 pommes de terre lavées et coupées en quartiers	
2 courgettes coupées en rondelles épaisses	
2 poivrons jaunes épépinés et coupés en larges lanières	
4 tomates coupées en deux	
30 ml (2 c. à soupe) d'huile d'olive	
Sel de mer et poivre noir du moulin	
Copeaux de parmesan	

Vinaigrette

45 ml (3 c. à soupe) d'huile d'olive extra vierge
30 ml (2 c. à soupe) de miel liquide
15 ml (1 c. à soupe) de vinaigre balsamique
Jus et zeste râpé fin d'un demi-citron

1. Préchauffer le four à 200 °C (400 °F). Mettre tous les légumes dans un plat de cuisson peu profond, asperger d'huile, saler et poivrer. Secouer le plat doucement pour bien enrober les légumes d'huile et d'assaisonnement. Cuire au four environ 35 minutes, jusqu'à ce que les légumes soient tendres et légèrement brûlés sur les bords.

2. Entre-temps, mélanger tous les ingrédients de la vinaigrette. Lorsque les légumes sont cuits, arroser de vinaigrette et bien remuer. Répartir la salade dans 4 assiettes et garnir de copeaux de parmesan.

SALADE DE CHOU-FLEUR SICILIENNE

4 PORTIONS • 1 HEURE 30 MINUTES DE PRÉPARATION • 10 MINUTES DE CUISSON

1 petit chou-fleur	**Vinaigrette**
30 g (1 oz) de raisins secs sans pépins	Jus d'un petit citron
15 ml (1 c. à soupe) d'amandes effilées grillées	2 ml (½ c. à thé) de cannelle moulue
Zeste râpé d'un petit citron	1 pincée de poivre de Cayenne
60 ml (¼ tasse) de persil plat haché	75 ml (5 c. à soupe) d'huile d'olive extra vierge
	10 ml (2 c. à thé) de vinaigre balsamique
	5 ml (1 c. à thé) de sucre semoule
	Sel et poivre noir du moulin

1 Couper le chou-fleur en petits fleurons et trancher la tige en bouchées. Porter une grande casserole d'eau légèrement salée à ébullition et cuire le chou-fleur de 2 à 3 minutes, jusqu'à ce que les morceaux soient attendris, mais encore fermes sous la dent. Bien égoutter.

2 Mettre tous les ingrédients de la vinaigrette dans un bocal à couvercle vissant et bien secouer, ou mélanger à l'aide d'une fourchette dans un bol. Verser la vinaigrette sur le chou-fleur et remuer pour enrober. Laisser refroidir 1 heure.

3 Pendant ce temps, mettre les raisins secs dans un bol et couvrir à hauteur d'eau bouillante. Laisser reposer 10 minutes pour faire gonfler les raisins. Égoutter et hacher grossièrement. Parsemer le chou-fleur de morceaux de raisins, d'amandes, de zeste de citron et de persil. Remuer légèrement.

SALADE TIÈDE D'ÉPINARDS AUX NOIX

3 PORTIONS • 15 MINUTES DE PRÉPARATION • 1 MINUTE DE CUISSON

30 ml (2 c. à soupe) d'huile de noix
5 tomates séchées dans l'huile, égouttées et hachées
250 g (8 oz) de jeunes épinards
1 oignon rouge coupé en fines rondelles
30 ml (2 c. à soupe) de noix en morceaux
1 pincée de sel
60 ml (¼ tasse) de coriandre fraîche hachée

1 Chauffer l'huile dans un wok ou une grande poêle à fond épais. Ajouter les tomates, les épinards, les rondelles d'oignon, les noix en morceaux et le sel. Cuire 1 minute en remuant, ou jusqu'à ce que les épinards commencent à se flétrir.

2 Transférer les légumes dans un grand saladier et parsemer de coriandre. Servir immédiatement.

SALADE DE HARICOTS VERTS À LA CORIANDRE ET AU GINGEMBRE PAKISTANAISE

4 À 6 PORTIONS • 15 MINUTES DE PRÉPARATION

750 g (1½ lb) de haricots longs (doliques asperges) frais	150 ml (5 oz) de bouillon de poulet ou de légumes
1 morceau de 2,5 cm (1 po) de gingembre frais	Jus de 2 citrons
15 ml (1 c. à soupe) d'huile végétale	1 botte de coriandre fraîche lavée,
15 ml (1 c. à soupe) d'huile de sésame	séchée, puis hachée
5 ml (1 c. à thé) de graines de moutarde	1 pincée de sel
10 ml (2 c. à thé) de cumin moulu	90 g (3 oz) de cacahuètes grillées et hachées
2 ml (½ c. à thé) de curcuma moulu	Quartiers de citron (facultatif)
1 piment vert frais haché fin	

1 Trancher les haricots en tronçons de 8 cm (3 po) de longueur et jeter les bouts décolorés. Peler et tailler le gingembre en fines allumettes.

2 Chauffer les deux huiles dans un wok. Lorsqu'elles sont chaudes, griller les graines de moutarde 1 ou 2 minutes, jusqu'à ce qu'elles commencent à éclater. Ajouter le gingembre et cuire une autre minute. Ajouter le cumin, le curcuma et le piment, et remuer environ 2 minutes, jusqu'à ce qu'ils exhalent leurs parfums.

3 Ajouter les haricots et brasser pour bien les enrober d'huile aromatisée. Verser le bouillon, couvrir et laisser mijoter de 5 à 8 minutes, ou jusqu'à ce qu'il n'y ait presque plus de liquide et que les haricots soient tendres.

4 Découvrir et ajouter le jus de citron, la coriandre et le sel. Bien mélanger et laisser refroidir. Avant de servir, parsemer de cacahuètes hachées et garnir de quartiers de citron, si désiré.

SALADE DE PATATES DOUCES AUX CACAHUÈTES

4 À 6 PORTIONS • 40 MINUTES DE PRÉPARATION • 45 MINUTES DE CUISSON

1¾ kg (4 lb) de patates douces pelées

90 ml (6 c. à soupe) d'huile d'olive

20 gousses d'ail non épluchées

Sel et poivre noir du moulin

1 oignon rouge moulu

1 à 2 petits piments rouges moulus

125 ml (½ tasse) d'herbes fraîches (telles que coriandre, persil,
aneth et ciboulette) seules ou mélangées, et quelques brins pour garnir

30 ml (2 c. à soupe) de vinaigre balsamique

500 ml (2 tasses) de cacahuètes grillées

1   Préchauffer le four à 220 °C (425 °F). Couper les patates douces en gros morceaux. Mélanger avec 30 ml (2 c. à soupe) de l'huile et placer dans un grand plat de cuisson avec l'ail. Saler et poivrer, et cuire environ 1 heure, jusqu'à ce que les patates soient tendres et dorées sur les bords. Sortir du four et garder au chaud.

2   Mélanger l'oignon et le piment avec les herbes fraîches, puis avec les patates douces. Battre l'huile d'olive restante avec le vinaigre, verser sur la préparation aux patates et remuer. Incorporer les cacahuètes, garnir de brins d'herbes et servir.

Salade de jeunes épinards à l'avocat et aux pignons grillés

4 PORTIONS • 10 MINUTES DE PRÉPARATION • 5 MINUTES DE CUISSON

90 g (3 oz) de coppa tranchée

200 g (7 oz) de jeunes épinards

60 g (2 oz) de pignons de pin grillés

1 avocat tranché

60 ml (¼ tasse) d'huile d'olive

30 ml (2 c. à soupe) de vinaigre balsamique

60 g (2 oz) de copeaux de pecorino

1 pincée de sel de mer

Poivre noir du moulin

1 Passer la coppa sous un gril chaud jusqu'à ce qu'elle soit croustillante. Mettre les épinards, la coppa, les pignons et l'avocat dans un bol.

2 Mélanger ensemble l'huile et le vinaigre, verser sur la salade et remuer, en incorporant les copeaux de pecorino.

3 Assaisonner de sel et de poivre, puis servir.

La coppa est une charcuterie italienne faite d'échine de porc.

SALADE DE POMMES DE TERRE AMÉRICAINE

4 PORTIONS • 20 MINUTES DE PRÉPARATION • 20 MINUTES DE CUISSON

900 g (2 lb) de pommes de terre nouvelles	2 cornichons à l'aneth tranchés fin
75 ml (⅓ tasse) de vin blanc sec	5 ml (1 c. à thé) de câpres
125 ml (½ tasse) de vinaigrette	4 œufs durs écalés et tranchés
1 oignon rouge coupé en rondelles	60 ml (¼ tasse) de persil haché
1 branche de céleri émincée	Sel et poivre noir du moulin

1. Laver et faire bouillir les pommes de terre dans l'eau salée jusqu'à tendreté. Tandis qu'elles sont encore chaudes, peler et trancher.

2. Mettre les tranches de pommes de terre dans un bol. Arroser de vin, en tournant délicatement les tranches. Asperger de vinaigrette et ajouter les autres ingrédients. Saler et poivrer avant de servir.

Pour varier la recette, incorporer 125 ml (½ tasse) de mayonnaise – ou 60 ml (¼ tasse) de crème sure et 60 ml (¼ tasse) de mayonnaise – après l'ajout de vinaigrette et avant celui des autres ingrédients.

SALADE DE COURGETTES AUX NOISETTES

6 PORTIONS • 15 MINUTES DE PRÉPARATION • 5 MINUTES DE CUISSON

700 g (1½ lb) de petites courgettes
30 ml (2 c. à soupe) d'huile de tournesol, et un peu plus pour badigeonner
75 ml (5 c. à soupe) d'huile de noix
15 ml (1 c. à soupe) de vinaigre de vin blanc
Sel et poivre noir du moulin
125 g (4 oz) de noisettes entières mondées
170 g (6 oz) de cresson sans les grosses tiges
90 g (3 oz) de feta émiettée

1 À l'aide d'un éplucheur, détailler les courgettes en longs rubans. Dans un bol, mélanger ensemble les huiles et le vinaigre, saler et poivrer. Ajouter la moitié des rubans de courgettes, remuer légèrement et réserver.

2 Badigeonner une grande poêle d'un peu d'huile de tournesol et chauffer. Étaler les rubans de courgettes restants dans la poêle et cuire 2 minutes de chaque côté, ou jusqu'à ce qu'ils soient légèrement grillés. Retirer de la poêle, assaisonner et mettre de côté. Essuyer la poêle.

3 Écraser grossièrement les noisettes au pilon, ou les mettre dans un sac de plastique, sceller et écraser au rouleau à pâtisserie. Verser les noisettes dans la poêle et griller à sec de 1 à 2 minutes, jusqu'à ce qu'elles soient dorées.

4 Répartir le cresson dans les assiettes de service. Déposer un peu de courgettes marinées au centre et réserver une partie de la marinade. Parsemer de feta et de la moitié des noisettes grillées. Garnir de courgettes grillées, parsemer du reste de noisettes et asperger de marinade réservée.

SALADE DE CHOU AU GINGEMBRE ASIATIQUE

6 PORTIONS • 30 MINUTES DE PRÉPARATION

½ gros chou frisé tranché fin, soit environ 1,25 l (5 tasses)

Feuilles émincées de 4 bébés bok choy

8 ciboules coupées en julienne

200 g (7 oz) de châtaignes d'eau tranchées,
en conserve, égouttées

2 carottes moyennes coupées en fine julienne

2 tiges de citronnelle tranchées fin

4 feuilles de combava tranchées fin

Vinaigrette

30 ml (2 c. à soupe) de mayonnaise

30 ml (2 c. à soupe) de yogourt nature

Jus de 2 citrons

Jus de 1 lime

1 morceau de 5 cm (2 po) de gingembre râpé

60 ml (4 c. à soupe) de vinaigre de riz

Sel et poivre noir du moulin

Garniture

1 botte de coriandre hachée grossièrement

125 ml (½ tasse) de cacahuètes ou de graines
de tournesol grillées

1 Dans un grand bol, bien mélanger le chou frisé avec le bok choy, les ciboules, les châtaignes d'eau, les carottes, la citronnelle et les feuilles de combava.

2 Dans un pot, battre ensemble tous les ingrédients de la vinaigrette jusqu'à consistance lisse. Verser sur la salade et remuer pour bien enrober les légumes.

3 Juste avant de servir, incorporer la coriandre et parsemer de cacahuètes ou de graines de tournesol.

SALADE DE TOMATES ET DE PAIN ARROSÉE DE VINAIGRETTE AU PESTO

4 PORTIONS • 25 MINUTES DE PRÉPARATION • 4 MINUTES DE CUISSON

1 baguette coupée en cubes	
30 ml (2 c. à soupe) d'huile d'olive	
3 grosses tomates coupées en morceaux de 2,5 cm (1 po)	
1 petit oignon rouge tranché fin	
100 g (3½ oz) de feta émiettée	
1 poignée de feuilles de basilic déchirées	

Vinaigrette

45 ml (3 c. à soupe) d'huile d'olive
1 piment rouge épépiné et haché fin
30 ml (2 c. à soupe) de pesto rouge
30 ml (2 c. à soupe) de vinaigre de vin rouge
Sel et poivre noir du moulin

1 Préchauffer le gril à feu élevé. Remuer les cubes de pain dans l'huile pour les enrober uniformément. Étaler les cubes sur une plaque à cuisson et griller de 1 à 2 minutes, en tournant occasionnellement, jusqu'à ce qu'ils soient dorés. Laisser refroidir 10 minutes.

2 Pendant ce temps, faire la vinaigrette. Chauffer l'huile dans une petite casserole et faire sauter le piment 1 minute, ou jusqu'à ce qu'il ait ramolli sans être doré. Retirer du feu, laisser tiédir, puis ajouter le pesto et le vinaigre. Battre à l'aide d'une fourchette et assaisonner.

3 Mélanger le pain grillé avec les tomates, l'oignon et la feta. Parsemer la salade de basilic. Arroser de vinaigrette à l'aide d'une cuillère et remuer légèrement.

SALADES COMPOSÉES

Une bonne salade apporte de la saveur et de l'originalité au repas le plus ordinaire. En outre, beaucoup de salades composées, faciles à réaliser, peuvent être dégustées en plat principal. Quoi de plus délicieux qu'une Salade de betteraves garnie de pain grillé au brie, servie avec un bon verre de vin blanc frais ?

SALADE DE CRESSON AUX POIRES

6 À 8 PORTIONS • 15 MINUTES DE PRÉPARATION

2 bottes de cresson
3 poires Bosc
45 ml (3 c. à soupe) d'huile d'olive
15 ml (1 c. à soupe) de jus de citron
7 ml (½ c. à soupe) de vinaigre de vin blanc
Sel et poivre noir du moulin
Copeaux de parmesan

1 Bien laver et sécher le cresson. Mettre dans un bol. Trancher les poires finement et mélanger avec le cresson.

2 Battre l'huile d'olive, le jus de citron, le vinaigre de vin blanc, le sel et le poivre, jusqu'à ce que la vinaigrette épaississe légèrement.

3 Asperger juste assez de vinaigrette pour enrober les feuilles. Disposer sur un plat de service et garnir de copeaux de parmesan.

Salade tiède de tomates gratinées

4 PORTIONS • 15 MINUTES DE PRÉPARATION • 15 MINUTES DE CUISSON

30 g (1 oz) de beurre fondu
60 ml (4 c. à soupe) d'huile d'olive
500 ml (2 tasses) de chapelure fraîche
125 ml (½ tasse) de persil haché
20 grandes feuilles de basilic émincées
½ botte de ciboulette hachée
Sel et poivre noir du moulin
6 à 8 grosses tomates
200 g (7 oz) de mesclun
15 ml (1 c. à soupe) de vinaigre balsamique

1. Préchauffer le four à 180 °C (350 °F). Chauffer le beurre et la moitié de l'huile d'olive dans une grande poêle. Ajouter la chapelure, le persil, le basilic et la ciboulette, et cuire en remuant jusqu'à ce que la chapelure soit dorée. Saler et poivrer.

2. Couper les tomates en tranches épaisses et étaler sur une plaque de four antiadhésive. Saler et poivrer. Presser le mélange de chapelure sur les tranches de façon à les recouvrir.

3. Cuire au four 10 minutes, puis passer sous le gril pour griller la chapelure.

4. Entre-temps, remuer les feuilles de laitue avec le reste de l'huile d'olive et le vinaigre. Saler et poivrer.

5. Disposer la verdure sur un plat de service et garnir de tranches de tomates en les faisant se chevaucher. Donner un tour de poivre noir et servir.

Salade Grecque

4 PORTIONS • 10 MINUTES DE PRÉPARATION

2 concombres libanais tranchés
4 tomates italiennes coupées en quartiers
2 oignons rouges coupés en quartiers
75 g (2½ oz) de feta émiettée
125 ml (½ tasse) d'olives Kalamata entières
45 ml (3 c. à soupe) d'huile d'olive extra vierge
30 ml (2 c. à soupe) de vinaigre brun
1 pincée de sel de mer
Poivre noir du moulin
60 ml (¼ tasse) de feuilles d'origan

1 Mettre le concombre, les tomates, les oignons, la feta et les olives dans un bol.

2 Dans un autre bol, battre ensemble l'huile d'olive et le vinaigre. Verser sur la salade. Saler et poivrer.

3 Garnir de feuilles d'origan. Servir la salade seule ou accompagnée de pain frais.

SALADE D'ENDIVES AUX POMMES, AU BLEU ET AUX PACANES

6 PORTIONS • 20 MINUTES DE PRÉPARATION

5 endives	100 g (3½ oz) de fromage bleu, tel que gorgonzola ou bleu Castello
1 pomme rouge Delicious	60 ml (¼ tasse) d'huile d'olive
1 pomme Granny Smith	60 ml (¼ tasse) d'huile de noix
15 ml (1 c. à soupe) de jus de citron	60 ml (¼ tasse) de vinaigre de xérès
200 g (7 oz) de jeune roquette	1 grosse échalote hachée fin
250 ml (1 tasse) de pacanes grillées et hachées grossièrement	Sel et poivre noir du moulin

1. Fendre les endives en deux dans le sens de la longueur. Déposer sur une planche, côté tranché vers le bas, et couper les feuilles en fines lanières.

2. Trancher finement les pommes non épluchées et remuer avec le jus de citron.

3. Laver et bien essorer la roquette.

4. Mélanger les lanières d'endive, les tranches de pomme, la roquette, les pacanes et le bleu dans un grand bol.

5. Battre les huiles, le vinaigre et l'échalote dans un petit bol. Saler et poivrer au goût.

6. Asperger la salade de vinaigrette et bien remuer. Servir immédiatement.

SALADE DE NOUILLES AU BROCOLI, AU GINGEMBRE ET AUX AMANDES

6 À 8 PORTIONS • 25 MINUTES DE PRÉPARATION • 8 MINUTES DE CUISSON

15 ml (1 c. à soupe) d'huile d'arachide

1 morceau de 5 cm (2 po) de gingembre frais râpé

1 petit piment rouge tranché très fin

4 gousses d'ail hachées fin

4 ciboules émincées

500 g (1 lb) de fleurons de brocoli parés

10 shiitakes frais émincés

200 g (7 oz) de jeunes épis de maïs

45 ml (3 c. à soupe) de sauce soja

45 ml (3 c. à soupe) de mirin

30 ml (2 c. à soupe) de vinaigre de riz

1 laitue romaine déchiquetée

125 g (4 oz) d'amandes mondées grillées

Nouilles

100 g (3½ oz) de vermicelle de soja

30 ml (2 c. à soupe) de sauce de poisson

30 ml (2 c. à soupe) de vinaigre de riz

30 ml (2 c. à soupe) de mirin

5 ml (1 c. à thé) de sucre de palme ou de sucre brun

125 ml (½ tasse) de coriandre fraîche hachée, et un peu plus pour garnir

1 Préparer les nouilles. Faire ramollir les vermicelles environ 10 minutes dans un bol d'eau chaude. Égoutter. Mélanger ensemble la sauce de poisson, le vinaigre de riz, le mirin et le sucre. Verser sur les vermicelles et bien remuer. Incorporer la coriandre et réserver.

2 Chauffer l'huile d'arachide dans un wok et faire revenir le gingembre, le piment, l'ail et les ciboules environ 3 minutes, en remuant constamment, jusqu'à ce que les ciboules se flétrissent.

3 Ajouter les fleurons de brocoli et brasser jusqu'à ce qu'ils soient vert vif. Ajouter les champignons et le maïs, et continuer à cuire en remuant à feu élevé. Verser la sauce soja, le mirin et le vinaigre de riz, et prolonger la cuisson de 1 minute.

4 Incorporer les vermicelles et retirer du feu.

5 Répartir la romaine dans les assiettes de service, puis garnir de nouilles au brocoli. Parsemer d'amandes grillées et de coriandre.

Pour parer un brocoli, on sépare les inflorescences de la tige principale; c'est ce qu'on appelle les fleurons.

Salade de chou et de nouilles chinoise

4 PORTIONS • 10 MINUTES DE PRÉPARATION • 5 MINUTES DE CUISSON

	Vinaigrette
½ chou chinois	60 ml (4 c. à soupe) d'huile d'arachide
4 bébés bok choy	30 ml (2 c. à soupe) de vinaigre balsamique
8 ciboules	30 ml (2 c. à soupe) de jus de lime ou de citron frais
½ botte de coriandre	15 ml (1 c. à soupe) de sucre brun
175 ml (¾ tasse) d'amandes effilées grillées	15 ml (1 c. à soupe) de sauce soja
125 ml (½ tasse) de pignons de pin grillés	Sel et poivre noir du moulin
100 g (3½ oz) de nouilles chinoises frites	

1 Émincer le chou chinois et mettre dans un grand bol à mélanger. Bien laver les bébés bok choy, trancher en travers et ajouter au chou.

2 Laver les ciboules, puis émincer finement en diagonale. Verser dans le bol avec le chou et le bok choy. Ajouter la coriandre lavée et hachée grossièrement.

3 Griller les amandes et les pignons sous un gril chaud ou à sec dans une poêle, et laisser refroidir.

4 Mélanger les noix et les nouilles avec la salade de chou.

5 Battre tous les ingrédients de la vinaigrette jusqu'à épaississement. Arroser la salade, bien remuer et servir immédiatement.

SALADE CÉSAR CAMPAGNARDE

6 PORTIONS • 15 MINUTES DE PRÉPARATION • 20 MINUTES DE CUISSON

2 gousses d'ail hachées fin	4 œufs bouillis 1 minute
90 ml (6 c. à soupe) d'huile d'olive	2 tranches épaisses de pain de campagne
9 anchois	Sel et poivre noir du moulin
Jus d'un citron et demi	100 g (3½ oz) de prosciutto
Bon trait de sauce Worcestershire	3 cœurs de laitue romaine
2 ml (½ c. à thé) de moutarde	45 g (1½ oz) de copeaux de parmesan
15 à 30 ml (1 à 2 c. à soupe) de vinaigre de vin blanc	

1 Préchauffer le four à 220 °C (425 °F).

2 Dans un grand bol à mélanger, mettre l'ail et 60 ml (4 c. à soupe) d'huile d'olive et, avec le dos d'une cuillère de métal, écraser l'ail dans l'huile. Ajouter les anchois et les écraser dans l'huile à l'ail. Incorporer au fouet le jus de citron, la sauce Worcestershire, la moutarde et le vinaigre de vin blanc, en battant bien après chaque addition.

3 Casser délicatement les œufs bouillis, mettre les jaunes dans le bol à mélanger et jeter les blancs. Bien remuer pour les incorporer aux autres ingrédients. Réserver.

4 Couper le pain en cubes et mélanger avec le restant d'huile d'olive; saler et poivrer. Transférer sur une plaque à cuisson et faire dorer environ 15 minutes au four. Laisser refroidir.

5 Chauffer le prosciutto dans une poêle pour le rendre croustillant, puis le casser en morceaux.

6 Placer les feuilles de romaine bien lavées et essorées dans un saladier. Arroser de préparation à l'œuf et remuer pendant plusieurs minutes, jusqu'à ce que toutes les feuilles soient enrobées. Ajouter les cubes de pain et le parmesan, donner un tour de poivre noir et parsemer de prosciutto croustillant. Servir immédiatement.

SALADE DE TORTILLAS MEXICAINE

4 À 6 PORTIONS • 20 MINUTES DE PRÉPARATION • 5 MINUTES DE CUISSON

	Vinaigrette
Huile végétale pour frire	1 petite mangue pelée et coupée en dés
4 tortillas de maïs coupées en lanières	125 ml (½ tasse) de jus de pamplemousse
750 ml (3 tasses) de chou vert émincé	60 ml (¼ tasse) de jus de lime frais
750 ml (3 tasses) de laitue iceberg émincée	1 à 2 petits piments rouges
1 mangue pelée et coupée en dés	4 échalotes hachées
2 à 3 jicamas (navets mexicains) pelés et tranchés	22 ml (1½ c. à soupe) d'huile végétale
1 oignon rouge coupé en petits dés	1 gousse d'ail
3 poivrons rouges rôtis, pelés et tranchés	
125 ml (½ tasse) de graines de citrouille décortiquées et grillées	
½ botte de coriandre hachée	
Sel et poivre noir du moulin	

1 À l'aide d'un mélangeur ou d'un robot culinaire, battre tous les ingrédients de la vinaigrette jusqu'à consistance lisse. Réserver.

2 Chauffer l'huile à feu moyen-vif dans une casserole à fond épais de taille moyenne. Frire les lanières de tortilla, une poignée à la fois, jusqu'à ce qu'elles soient croustillantes (environ 4 minutes). Retirer à l'aide d'une écumoire et égoutter sur du papier absorbant. Répéter l'opération jusqu'à épuisement des lanières.

3 Dans un grand saladier, mélanger le chou, la laitue, la mangue, les jicamas, l'oignon, les poivrons, les graines de citrouille et la coriandre. Remuer avec suffisamment de vinaigrette pour enrober les ingrédients. Saler et poivrer au goût, garnir de lanières de tortillas frites et servir.

SALADE DE TOMATES FARCIES ARMÉNIENNE

8 PORTIONS • 20 MINUTES DE PRÉPARATION • 20 MINUTES DE CUISSON

8 grosses tomates rondes	60 ml (¼ tasse) de menthe fraîche hachée
60 ml (4 c. à soupe) d'huile d'olive	4 ml (¾ c. à thé) de sel de mer
1 gros oignon haché fin	2 ml (½ c. à thé) de poivre noir du moulin
1 gros blanc de poireau haché fin	2 gousses d'ail pelées et écrasées
750 ml (3 tasses) de riz cuit, blanc ou brun	125 ml (½ tasse) de bouillon de légumes
125 ml (½ tasse) de pignons de pin grillés	125 ml (½ tasse) de vin blanc
175 ml (¾ tasse) de raisins de Corinthe	500 g (1 lb) de jeunes épinards
125 ml (½ tasse) de persil frais haché	

1 Préchauffer le four à 180 °C (350 °F). À l'aide d'un couteau bien aiguisé, trancher le sommet des tomates, puis évider le plus possible sans endommager l'extérieur. Hacher la pulpe finement.

2 Chauffer l'huile d'olive et cuire l'oignon et le poireau jusqu'à ce qu'ils soient légèrement dorés. Ajouter le riz, la pulpe de tomate, les pignons, les raisins, le persil, la menthe, le sel et le poivre. Faire sauter jusqu'à ce que la préparation soit chaude et bien assaisonnée.

3 Remplir les tomates de farce au riz, disposer dans un plat allant au four et replacer les chapeaux. Mélanger ensemble l'ail, le bouillon et le vin blanc, et asperger autour des tomates. Cuire au four 15 minutes.

4 Pendant ce temps, laver et sécher les épinards. Lorsque les tomates sont cuites, les sortir du plat, conserver le jus de cuisson et jeter l'ail. Mélanger les épinards avec le jus chaud.

5 Disposer un tas d'épinards tièdes sur chaque assiette et déposer une tomate au sommet. Arroser de jus, s'il en reste, et servir.

TABOULÉ TURC

175 ml (¾ tasse) de boulgour fin
½ botte de ciboules parées et tranchées fin
1 grosse tomate mûre épépinée et coupée en dés
½ poivron rouge épépiné et coupé en dés
1 petit concombre pelé, épépiné et coupé en dés
250 ml (1 tasse) de persil haché fin
60 ml (¼ tasse) de menthe fraîche émincée
30 ml (2 c. à soupe) de pâte de poivron rouge turque (voir ci-dessous)
Jus d'un citron
45 ml (3 c. à soupe) d'huile d'olive
7 ml (½ c. à soupe) de mélasse de grenade
10 ml (2 c. à thé) de cumin moulu
Sel et poivre noir du moulin

Pâte de poivron rouge turque

2 poivrons rouges (chair seulement)
2 piments rouges
2 ml (½ c. à thé) de sel
2 ml (½ c. à thé) de sucre
10 ml (2 c. à thé) d'huile d'olive
15 ml (1 c. à soupe) d'eau

1. Pour faire la pâte de poivron rouge, passer tous les ingrédients au robot culinaire jusqu'à consistance lisse. Transférer dans une casserole et laisser mijoter environ 1 heure, jusqu'à ce que la préparation soit épaisse et que le liquide ait réduit, en remuant fréquemment. Laisser refroidir.

2. Couvrir le boulgour d'eau froide et laisser reposer 30 minutes. Bien égoutter, en exprimant l'excédent d'eau. Dans un bol, bien mélanger ensemble le boulgour, les ciboules, la tomate, le poivron, le concombre, le persil et la menthe. Incorporer la pâte de poivron rouge, en brassant jusqu'à ce que la salade prenne une jolie teinte rouge.

3. Battre ensemble le jus de citron, l'huile d'olive, la mélasse, le cumin, le sel et le poivre. Verser la vinaigrette sur la salade de boulgour et remuer pour bien enrober tous les ingrédients. Goûter et rectifier l'assaisonnement au besoin. Réfrigérer 2 heures. Servir froid ou à température ambiante.

SALADE DE CROUSTILLES DE PATATES DOUCES

8 PORTIONS • 40 MINUTES DE PRÉPARATION • 10 MINUTES DE CUISSON

900 g (2 lb) de patates douces émincées finement	**Vinaigrette à l'origan**
45 à 60 ml (3 à 4 c. à soupe) d'huile d'olive	60 ml (¼ tasse) de feuilles d'origan frais
170 g (6 oz) de jeunes épinards	22 ml (1½ c. à soupe) de sucre brun
170 g (6 oz) de roquette	75 ml (⅓ tasse) de vinaigre balsamique
3 tomates hachées	Poivre noir du moulin
2 oignons rouges émincés	
60 ml (4 c. à soupe) d'olives noires dénoyautées	
60 g (2 oz) de copeaux de parmesan	

1 Préchauffer le barbecue à feu élevé. Badigeonner les patates douces d'huile et cuire sur une plaque de barbecue, une petite quantité à la fois, environ 4 minutes de chaque côté, jusqu'à ce qu'elles soient dorées et croustillantes. Égoutter sur du papier absorbant.

2 Dans un bol, mélanger les épinards, la roquette, les tomates, les oignons, les olives et le fromage. Couvrir et réfrigérer.

3 Mettre tous les ingrédients de la vinaigrette dans un bocal à couvercle vissant et secouer pour mélanger.

4 Pour servir, ajouter les croustilles de patates douces à la salade, arroser de vinaigrette et remuer.

SALADE DE BETTERAVES GARNIE DE PAIN GRILLÉ AU BRIE

4 PORTIONS • 15 MINUTES DE PRÉPARATION • 10 MINUTES DE CUISSON

1 avocat	**Vinaigrette**
250 g (8 oz) de betteraves cuites, égouttées et coupées en petits dés	45 ml (3 c. à soupe) d'huile d'olive extra vierge
2 branches de céleri émincées	45 ml (3 c. à soupe) de vinaigre de cidre
1 pomme de table rouge, étrognée et coupée en petits dés	1 gousse d'ail écrasée
4 tranches de pain blanc cuit sur la pierre	1 petit oignon rouge haché fin
125 g (4 oz) de brie danois tranché	15 ml (1 c. à soupe) de purée de tomate
125 g (4 oz) de mesclun	Sel de mer et poivre noir du moulin

1 Peler et trancher l'avocat. Mettre dans un bol avec les betteraves, le céleri et la pomme. Couvrir et réserver. Préchauffer le gril à feu élevé et griller légèrement le pain de 2 à 3 minutes de chaque côté. Placer une tranche de brie sur chaque pain grillé, puis repasser sous le gril. Cuire jusqu'à ce que le fromage soit fondu et un peu doré.

2 Entre-temps, faire la vinaigrette. Mettre tous les ingrédients dans une petite casserole et porter à ébullition. Laisser mijoter de 2 à 3 minutes, jusqu'à ce que le mélange soit chaud.

3 Pour servir, répartir le mesclun dans 4 assiettes et garnir de salade de betteraves et de pain grillé au fromage. Asperger de vinaigrette tiède et servir immédiatement.

Salade aux anchois, aux œufs et au parmesan

4 PORTIONS • 20 MINUTES DE PRÉPARATION • 10 MINUTES DE CUISSON

2 œufs moyens
2 endives
Feuilles déchirées de 2 laitues
8 filets d'anchois à l'huile, égouttés et coupés en deux dans le sens de la longueur
15 ml (1 c. à soupe) de câpres égouttées
2 tomates cerises coupées en deux
60 g (2 oz) de copeaux de parmesan
30 ml (2 c. à soupe) d'huile d'olive extra vierge
Jus d'un citron
Sel et poivre noir du moulin
60 ml (¼ tasse) de persil plat

1. Porter une petite casserole d'eau à ébullition et faire bouillir les œufs 10 minutes. Retirer de la casserole, rafraîchir sous l'eau froide, puis écaler. Couper chaque œuf dur en quatre dans le sens de la longueur.

2. Sur chaque assiette de service, disposer en alternance 4 feuilles d'endive et 4 feuilles de laitue, les pointes vers l'extérieur, en forme d'étoile. Placer 1 quartier d'œuf sur chacune de 2 feuilles de laitue opposées et 1 moitié d'anchois sur chacune des 2 autres feuilles de laitue opposées. Parsemer de câpres.

3. Au centre de chaque assiette, mettre une demi-tomate cerise et la draper de 2 moitiés d'anchois. Garnir de parmesan et asperger d'huile d'olive et de jus de citron. Assaisonner au goût et parsemer de persil.

HARICOTS VERTS AU PROSCIUTTO ET AU PARMESAN

4 PORTIONS • 10 MINUTES DE PRÉPARATION • 8 MINUTES DE CUISSON

6 œufs de caille
250 g (8 oz) de jeunes haricots verts blanchis
60 g (2 oz) de prosciutto tranché
60 g (2 oz) de copeaux de parmesan
1 pincée de sel de mer
Poivre noir du moulin
Vinaigrette
30 ml (2 c. à soupe) d'huile d'olive extra vierge
15 ml (1 c. à soupe) de vinaigre de vin blanc

1 Mettre les œufs de caille dans une petite casserole d'eau froide, porter à ébullition et faire bouillir 3 minutes. Refroidir les œufs sous l'eau froide, écaler et couper en deux.

2 Dans un bol, mettre les œufs de caille, les haricots, le prosciutto et le parmesan. Saler et poivrer. Mélanger les ingrédients de la vinaigrette et verser sur la salade. Servir.

SALADE DE TOMATES À LA MOZZARELLA

4 PORTIONS • 10 MINUTES DE PRÉPARATION • 2 MINUTES DE CUISSON

6 tomates italiennes tranchées
250 g (8 oz) de mozzarella au lait de bufflonne égouttée et tranchée
2 ciboules tranchées
75 g (2½ oz) d'olives noires
Sel et poivre noir du moulin
Vinaigrette
45 ml (3 c. à soupe) d'huile d'olive extra vierge
1 gousse d'ail écrasée
10 ml (2 c. à thé) de vinaigre balsamique
60 ml (¼ tasse) de basilic frais haché

1 Disposer les tomates, la mozzarella, les ciboules et les olives en étages sur des assiettes de service. Saler et poivrer.

2 Pour faire la vinaigrette, chauffer l'huile et l'ail dans une petite casserole, à feu très doux, pendant 2 minutes ou jusqu'à ce que l'ail ait ramolli sans brunir. Retirer la casserole du feu, ajouter le vinaigre et le basilic, puis verser sur la salade.

Salade Waldorf au leicester rouge

4 PORTIONS • 8 MINUTES DE PRÉPARATION

	Vinaigrette
175 g (6 oz) de chou rouge râpé fin	150 g (5 oz) de yogourt nature
4 branches de céleri émincées	30 ml (2 c. à soupe) de mayonnaise
150 g (5 oz) de fromage leicester rouge, coupé en cubes de 1,2 cm (½ po)	5 ml (1 c. à thé) de jus de citron frais ou de vinaigre de vin blanc
75 g (2½ oz) de raisins rouges sans pépins coupés en deux	Poivre noir du moulin
2 pommes rouges étrognées et coupées en dés	
Feuilles déchirées d'une laitue romaine	
2 ml (½ c. à thé) de graines de pavot	

1 Mélanger ensemble tous les ingrédients de la vinaigrette. Dans un grand bol, mettre le chou, le céleri, le fromage, les raisins et les pommes. Arroser de vinaigrette et remuer.

2 Répartir les feuilles de laitue dans les assiettes et garnir de préparation au chou et au fromage. Saupoudrer de graines de pavot avant de servir.

SALADE DE BETTERAVES, DE POIRES ET DE FEUILLES AMÈRES

4 PORTIONS • 15 MINUTES DE PRÉPARATION • 15 MINUTES DE CUISSON

	Vinaigrette
60 g (2 oz) de noix en morceaux	125 ml (½ tasse) d'herbes fraîches hachées, dont basilic, ciboulette, menthe et persil
200 g (7 oz) de laitues mélangées, dont chicorée rouge et chicorée frisée	60 ml (4 c. à soupe) d'huile de noix
250 g (8 oz) de betteraves cuites et émincées	30 ml (2 c. à soupe) d'huile d'olive extra vierge
2 poires coupées en quatre, étrognées et émincées	1 gousse d'ail écrasée
30 g (1 oz) de parmesan en bloc	10 ml (2 c. à thé) de vinaigre de vin rouge
Ciboulette fraîche	5 ml (1 c. à thé) de miel liquide
	Sel et poivre noir du moulin

1 Préchauffer le gril à feu élevé. Pour faire la vinaigrette, mélanger les herbes, les huiles, l'ail, le vinaigre et le miel jusqu'à consistance lisse, à l'aide d'un robot culinaire ou d'un mélangeur à main. Saler et poivrer au goût.

2 Étaler les noix sur une plaque à cuisson et griller de 2 à 3 minutes, jusqu'à ce qu'elles soient dorées, en les tournant souvent. Disposer les feuilles de laitue et les tranches de betteraves et de poires sur des assiettes de service. Parsemer de noix et de copeaux de parmesan prélevés au couteau économe. Arroser la salade de vinaigrette et garnir de brins de ciboulette entiers.

FÈVES À LA CORIANDRE

4 PORTIONS • 20 MINUTES DE PRÉPARATION • 10 MINUTES DE CUISSON

750 ml (3 tasses) de fèves (gourganes) écossées

8 tranches de prosciutto

1 petit oignon rouge émincé finement

30 ml (2 c. à soupe) d'huile d'olive extra vierge

15 ml (1 c. à soupe) de vinaigre de vin blanc

2 ml (½ c. à thé) de sucre

60 ml (¼ tasse) de coriandre fraîche hachée

4 brins de persil plat hachés

Sel et poivre noir du moulin

1 Cuire les fèves 1 minute dans une casserole d'eau bouillante. Égoutter et rincer sous l'eau froide. Retirer et jeter la peau des fèves.

2 Disposer le prosciutto sur une plaque à cuisson et passer sous un gril chaud de 1 à 2 minutes de chaque côté, ou jusqu'à ce qu'il soit croustillant. Laisser refroidir et casser en morceaux.

3 Mettre les fèves, le prosciutto et l'oignon dans un bol de service. Asperger d'huile d'olive extra vierge et de vinaigre de vin blanc. Saupoudrer de sucre, parsemer de coriandre et de persil, et assaisonner de sel et de poivre. Bien remuer pour mélanger.

SALADE COMPOSÉE

1 poivron rouge épépiné et coupé en quatre	**Vinaigrette**
3 tomates mûries sur pied coupées en quartiers	60 ml (¼ tasse) d'huile d'olive
15 ml (1 c. à soupe) d'huile d'olive	15 ml (1 c. à soupe) de jus de citron
1 petit concombre émincé	15 ml (1 c. à soupe) de vinaigre de vin rouge
1 petit oignon rouge haché fin	2 ml (½ c. à thé) de sucre
125 ml (½ tasse) d'olives noires	Sel et poivre noir du moulin
150 g (5 oz) de feuilles de laitues mélangées, telles que frisée, jeunes épinards, laitue beurre et cresson	
60 ml (¼ tasse) de coriandre fraîche	

1 Mettre les morceaux de poivron sur une plaque à cuisson et passer sous un gril chaud de 6 à 8 minutes, ou jusqu'à ce que les peaux soient boursouflées et noires. Laisser refroidir. Peler et émincer la chair.

2 Préchauffer le four à 180 °C (350 °F). Disposer les tomates sur une plaque à cuisson tapissée de papier parchemin. Vaporiser ou badigeonner légèrement d'huile d'olive, saler et poivrer. Cuire au four de 15 à 20 minutes, ou jusqu'à ce que la chair soit juste tendre. Réserver.

3 Dans un grand bol de service, mélanger le poivron, les tomates, le concombre, l'oignon rouge, les olives, les feuilles de laitue et la coriandre.

4 Mélanger les ingrédients de la vinaigrette dans un petit pot. Verser sur la salade et remuer.

SALADE DE JEUNES ÉPINARDS À LA FETA, AUX ARTICHAUTS ET AUX NOIX

4 À 6 PORTIONS • 20 MINUTES DE PRÉPARATION • 16 MINUTES DE CUISSON

1 poivron rouge coupé en quatre et épépiné	**Vinaigrette**
15 ml (1 c. à soupe) d'huile d'olive	125 ml (½ tasse) d'huile d'olive extra vierge
100 g (3½ oz) de noix	60 ml (¼ tasse) de jus de citron
200 g (7 oz) de jeunes épinards lavés	10 ml (2 c. à thé) de miel
200 g (7 oz) de feta grecque coupée en cubes	Feuilles hachées de 4 brins d'origan
300 g (10 oz) de cœurs d'artichauts coupés en quatre	Poivre noir du moulin
125 ml (½ tasse) d'olives noires dénoyautées	

1 Préchauffer le gril. Placer le poivron sous le gril et cuire jusqu'à ce qu'il soit noir sur le dessus. Peler, couper en lanières et réserver.

2 Mettre tous les ingrédients de la vinaigrette dans un petit bocal à couvercle vissant et bien secouer pour mélanger.

3 Chauffer l'huile d'olive dans une poêle, ajouter les noix et cuire de 1 à 2 minutes. Dans un grand saladier, mélanger les jeunes épinards, la feta, les cœurs d'artichauts et les olives avec la vinaigrette. Servir avec du pain pita.

RÉMOULADE DE CÉLERI-RAVE AUX HERBES

4 PORTIONS • 15 MINUTES DE PRÉPARATION • 15 MINUTES DE CUISSON

2 œufs moyens
500 g (1 lb) de céleri-rave râpé
30 ml (2 c. à soupe) d'huile d'olive
15 ml (1 c. à soupe) d'huile de sésame
Jus d'un citron
60 ml (¼ tasse) de persil frais haché
½ petite botte de ciboulette fraîche hachée
Sel et poivre noir du moulin

1 Porter une casserole d'eau à ébullition. Ajouter les œufs et faire bouillir 10 minutes. Refroidir sous l'eau froide, écaler et hacher finement.

2 Mettre le céleri-rave et les œufs hachés dans un grand bol. Mélanger ensemble l'huile d'olive, l'huile de sésame et le jus de citron, et verser sur le céleri-rave et les œufs. Ajouter le persil, la ciboulette, le sel et le poivre, puis bien remuer.

SALADES DE FRUITS

Peu de gens peuvent résister à une salade de fruits rafraîchissante, légère et bonne pour la santé. Les façons de présenter les fruits frais ou en conserve sont presque illimitées, comme en témoignent les salades proposées dans ce chapitre. Servez-les avec fierté en toutes occasions.

SALADE DE PAPAYE VERTE VIETNAMIENNE

8 PORTIONS • 15 MINUTES DE PRÉPARATION

750 g (1½ lb) de papaye verte coupée en fine julienne

4 ciboules coupées en fine julienne

½ radis blanc coupé en fine julienne

12 feuilles de menthe asiatique hachées

12 feuilles de basilic thaï hachées

Feuilles de ¼ botte de coriandre

1 gousse d'ail hachée fin

**30 ml (2 c. à soupe) de crevettes séchées
ou de cacahuètes écrasées**

Vinaigrette

2 ml (½ c. à thé) de pâte de crevettes

45 ml (3 c. à soupe) de vinaigre de riz

45 ml (3 c. à soupe) de jus de lime

30 ml (2 c. à soupe) de sauce de poisson

30 ml (2 c. à soupe) de sucre

15 ml (1 c. à soupe) de sauce chili douce

1 Mélanger ensemble la papaye, les ciboules, le radis blanc, les herbes fraîches et l'ail.

2 Pour faire la vinaigrette, diluer la pâte de crevettes dans 30 ml (2 c. à soupe) d'eau bouillante, puis battre avec les autres ingrédients. Si la sauce est trop acide, ajouter un peu d'eau pour atténuer la saveur. Continuer à battre jusqu'à ce que la vinaigrette soit bien mélangée.

3 Verser la vinaigrette sur la salade de papaye et bien remuer pour enrober tous les ingrédients. Parsemer de crevettes séchées ou de cacahuètes avant de servir.

SALADE D'AVOCAT, DE MANGUE ET DE PAPAYE

4 PORTIONS • 20 MINUTES DE PRÉPARATION

2 avocats mûrs
Jus d'une demi-lime
2 papayes
60 g (2 oz) de mesclun
Coriandre fraîche
Vinaigrette
1 mangue mûre
15 ml (1 c. à soupe) de vinaigre de riz ou 5 ml (1 c. à thé) de vinaigre de vin blanc
Jus d'une lime
2 ml (½ c. à thé) d'huile de sésame
1 morceau de 1,2 cm (½ po) de gingembre frais haché fin
2 ml (½ c. à thé) de miel liquide

1. Pour faire la vinaigrette, peler la mangue et prélever la chair. Hacher grossièrement au robot culinaire, puis réduire en fine purée avec le vinaigre, le jus de lime, l'huile, le gingembre et le miel. Sinon, presser la chair de mangue à travers un tamis, puis mélanger avec les autres ingrédients.

2. Couper les avocats en deux, dénoyauter et peler. Tailler en fines tranches dans le sens de la longueur, asperger de jus de lime pour éviter le brunissement.

3. Couper les papayes en deux et retirer les graines avec une cuillère. Peler et trancher finement la chair. Sur des assiettes de service, disposer harmonieusement les tranches de papayes et d'avocats, ainsi que les feuilles de laitue. Arroser de vinaigrette et garnir de coriandre.

SALADE D'AGRUMES AU GINGEMBRE

4 PORTIONS • 20 MINUTES DE PRÉPARATION • 15 MINUTES DE CUISSON

1 pamplemousse rose
1 grosse orange
1 tangerine pelée et séparée en quartiers
Zeste d'une lime coupé en allumettes
60 g (2 oz) de kumquats coupés en deux et épépinés
Jus d'un petit citron
150 ml (5 oz) de bière de gingembre
45 ml (3 c. à soupe) de sucre semoule
2 morceaux de gingembre au sirop hachés fin
Menthe fraîche

1 À l'aide d'un bon couteau dentelé, trancher le haut et le bas du pamplemousse et de l'orange – tenir le fruit au-dessus d'un bol pour récupérer le jus. Couper le long du fruit, en suivant les courbes, pour retirer l'écorce et la peau blanche. Extraire les suprêmes en passant la lame entre les membranes. Mettre dans un plat de service avec les quartiers de tangerine. Réserver le jus des agrumes.

2 Mettre le zeste de lime, les kumquats et 150 ml (5 oz) d'eau dans une casserole. Laisser mijoter 10 minutes ou jusqu'à ce qu'ils aient ramolli. Ajouter les kumquats aux autres fruits et égoutter le zeste de lime sur du papier absorbant. Réserver le liquide de cuisson.

3 Ajouter le jus de citron, la bière de gingembre, le sucre et le jus des agrumes au liquide de cuisson réservé. Chauffer à feu doux, en remuant, pendant 5 minutes ou jusqu'à dissolution du sucre. Verser la préparation sur les fruits et incorporer le gingembre haché. Parsemer de zeste de lime et garnir de menthe fraîche.

On peut utiliser n'importe quels agrumes pour ce dessert, sans toutefois omettre la lime, car sa saveur et sa couleur font toute la différence.

SALADE DE FRUITS ORIENTALE

4 PORTIONS • 50 MINUTES DE PRÉPARATION • 25 MINUTES DE CUISSON

3 tiges de citronnelle
60 g (2 oz) de sucre semoule
1 petit cantaloup
1 mangue
400 g (14 oz) de litchis en conserve égouttés
Menthe fraîche

1. Peler chaque tige de citronnelle, hacher finement la partie blanche bulbeuse et jeter la partie supérieure fibreuse. Mettre la citronnelle, le sucre et 100 ml (3½ oz) d'eau dans une casserole. Remuer à feu doux 5 minutes, ou jusqu'à dissolution du sucre, puis porter à ébullition. Retirer du feu et laisser tiédir 20 minutes. Réfrigérer 30 minutes.

2. Fendre le melon en deux et retirer les graines. Couper en tranches, enlever la peau et détailler la chair en gros morceaux. Trancher les deux «joues» de la mangue de part et d'autre du noyau plat. Entailler en croisillons, sans transpercer la peau, retourner la joue pour exposer la chair et découper les cubes.

3. Répartir le melon, la mangue et les litchis dans 4 bols de service. Passer le sirop de citronnelle et verser sur les fruits. Garnir de menthe et servir.

Salade de fruits frais

2 oranges
30 à 45 ml (2 à 3 c. à soupe) de jus d'orange frais non sucré
1 pomme rouge étrognée, mais non pelée, coupée en morceaux de 1 cm (⅜ po)
1 poire étrognée, pelée et coupée en morceaux de 1 cm (⅜ po)
60 g (2 oz) de raisins sans pépins
1 nectarine mûre, pelée, dénoyautée et coupée en morceaux
1 banane
6 fraises
125 ml (½ tasse) de yogourt nature

1 Trancher le haut et le bas de chaque orange et placer sur une surface de travail. À l'aide d'un bon couteau dentelé, couper le long du fruit, en suivant les courbes, pour retirer l'écorce et la peau blanche. En tenant l'orange au-dessus d'un bol, passer la lame entre les membranes pour détacher les suprêmes. Mettre les suprêmes dans un saladier avec le jus d'orange.

2 Ajouter la pomme, la poire, les raisins et la nectarine, et remuer doucement pour les enrober de jus d'orange (ceci empêchera leur oxydation). Réfrigérer la salade de fruits 1 heure pour permettre aux saveurs de se développer.

3 Juste avant de servir, peler la banane, émincer et ajouter à la salade. Équeuter les fraises, couper en deux et ajouter à la salade. Mélanger délicatement et répartir dans 4 bols de service. Garnir de yogourt et servir.

Salade Waldorf

2 pommes rouges coupées en dés

2 branches de céleri émincées

250 g (8 oz) de fraises coupées en deux

45 ml (3 c. à soupe) de raisins de Smyrne

60 g (2 oz) de pacanes hachées

Vinaigrette

4 brins de menthe hachés fin

45 ml (3 c. à soupe) de yogourt nature

30 ml (2 c. à soupe) de jus de citron

Poivre noir du moulin

1 Mettre les pommes, le céleri, les fraises, les raisins secs et les pacanes dans un saladier.

2 Mélanger ensemble tous les ingrédients de la vinaigrette dans un bol.

3 Verser la vinaigrette sur la salade et remuer. Couvrir et réfrigérer jusqu'au moment de servir.

SALADE DE FRUITS AUX NOIX

4 PORTIONS • 8 MINUTES DE PRÉPARATION

	Vinaigrette
2 pommes rouges coupées en dés	4 brins de menthe hachés fin
2 branches de céleri émincées	45 ml (3 c. à soupe) de yogourt nature
250 g (8 oz) de fraises coupées en deux	30 ml (2 c. à soupe) de jus de citron
45 ml (3 c. à soupe) de raisins de Smyrne	Poivre noir du moulin
60 g (2 oz) de pacanes hachées	

1 Mettre les pommes, le céleri, les fraises, les raisins secs et les pacanes dans un saladier.

2 Mélanger ensemble tous les ingrédients de la vinaigrette dans un bol.

3 Verser la vinaigrette sur la salade et remuer. Couvrir et réfrigérer jusqu'au moment de servir.

SALADE DE FRUITS AU SIROP DE LIME ÉPICÉ

4 PORTIONS • 10 MINUTES DE PRÉPARATION • 10 MINUTES DE CUISSON

½ ananas coupé en dés	**Sirop**
1 mangue coupée en dés	250 ml (1 tasse) de sucre brun
1 papaye coupée en dés	Zeste râpé d'une lime
1 pomme étrognée et coupée en dés	30 ml (2 c. à soupe) de jus de lime
1 concombre pelé et coupé en dés	5 ml (1 c. à thé) de pâte de tamarin
12 ramboutans pelés et dénoyautés	1 piment de taille moyenne, épépiné et haché fin

1 Faire le sirop. Dans une casserole, combiner le sucre et les zeste et jus de lime avec 125 ml (½ tasse) d'eau. Porter à ébullition, puis chauffer à feu doux de 8 à 10 minutes. Laisser refroidir. Incorporer la pâte de tamarin et le piment.

2 Mélanger les fruits dans un bol de service. Napper de sirop et remuer avant de servir.

SAUCES POUR SALADE

Une sauce intéressante transforme une simple salade en mets spécial. Dans ce chapitre, vous trouverez un choix de vinaigrettes et de mayonnaises pour tous les goûts et toutes les combinaisons de salades. Une bonne huile et du vinaigre aromatisé sont la base de nombreuses vinaigrettes. Le jus de citron ou de lime remplace parfois le vinaigre pour donner une sauce délicieusement rafraîchissante.

MAYONNAISE AUX HERBES MAISON

300 ml (10 oz) d'huile d'olive
300 ml (10 oz) d'huile de pépins de raisin
500 ml (2 tasses) d'herbes fraîches au choix
(persil, ciboulette, basilic, cerfeuil, etc.)
2 gousses d'ail pelées
2 œufs, plus 2 jaunes d'œufs
15 ml (1 c. à soupe) de moutarde de Dijon
15 ml (1 c. à soupe) de vinaigre de vin blanc
Sel et poivre noir du moulin

1 Mélanger les huiles d'olive et de pépins de raisin; réserver. Hacher les herbes et l'ail; réserver.

2 Mettre les œufs et les jaunes d'œufs dans le bol d'un robot culinaire et mélanger 2 minutes. Le moteur toujours en marche, ajouter la moutarde et la moitié du vinaigre, puis verser le mélange d'huiles en mince filet. Lorsque presque toute l'huile a été utilisée, arrêter le robot et ajouter les herbes à l'ail, l'autre moitié du vinaigre et le reste de l'huile. Mélanger brièvement. Saler et poivrer au goût. Conserver au réfrigérateur. Se marie avec tout.
Donne environ 750 ml (3 tasses).

VINAIGRETTE AU YOGOURT

30 ml (2 c. à soupe) de ciboulette fraîche ciselée
1 gousse d'ail écrasée
175 ml (¾ tasse) de yogourt nature
30 ml (2 c. à soupe) de vinaigre de vin blanc

1 Battre tous les ingrédients dans un bol. Très facile d'emploi. Convient particulièrement à la cuisine végétarienne.
Donne 250 ml (1 tasse).

MAYONNAISE À LA CORIANDRE ET AU PIMENT

1 petit piment rouge frais
1 grosse botte de coriandre
45 ml (3 c. à soupe) de crème sure
45 ml (3 c. à soupe) de yogourt nature
2 gousses d'ail hachées
6 feuilles de menthe
Jus et zeste d'une lime
Sel et poivre noir du moulin

1 Épépiner le piment. Laver et sécher la coriandre.

2 Mettre la crème sure, le yogourt, l'ail, la menthe, le piment et la coriandre dans le bol d'un robot culinaire et mélanger jusqu'à consistance lisse. Ajouter les jus et zeste de lime, et mélanger brièvement. Saler et poivrer au goût. Accompagne bien le saumon froid émietté, les petites pommes de terre bouillies tièdes, les avocats et les asperges.
Donne environ 125 ml (½ tasse).

VINAIGRETTE AU YOGOURT ET À LA MENTHE

30 ml (2 c. à soupe) de ciboulette fraîche ciselée
1 gousse d'ail écrasée
175 ml (¾ tasse) de yogourt nature
30 ml (2 c. à soupe) de vinaigre de vin blanc
60 ml (¼ tasse) de menthe fraîche hachée fin

1 Mettre la ciboulette, l'ail, le yogourt, le vinaigre et la menthe dans un bol et battre pour mélanger. Appréciée dans la cuisine végétarienne, avec une touche de fraîcheur de menthe.
Donne 250 ml (1 tasse).

MAYONNAISE AU FROMAGE BLEU

1 ml (¼ c. à thé) de moutarde sèche

2 jaunes d'œufs

250 ml (1 tasse) d'huile d'olive

30 ml (2 c. à soupe) de jus de citron
ou de vinaigre de vin blanc

Poivre noir du moulin

90 g (3 oz) de fromage bleu émietté

1 Mélanger la moutarde et les jaunes d'œufs au robot culinaire ou au mélangeur. Le moteur toujours en marche, verser l'huile graduellement et continuer à mélanger jusqu'à ce que la préparation épaississe. Incorporer le jus de citron ou le vinaigre, et poivrer au goût. Ajouter le fromage bleu et mélanger. Très riche et classique, excellente avec les endives.
Donne 375 ml (1½ tasse).

VINAIGRETTE DES MILLE ÎLES AU YOGOURT

30 ml (2 c. à soupe) de ciboulette fraîche ciselée

175 ml (¾ tasse) de yogourt nature

30 ml (2 c. à soupe) de vinaigre de vin blanc

30 ml (2 c. à soupe) d'olives vertes hachées

2 ciboules hachées fin

1 œuf dur haché

15 ml (1 c. à soupe) de poivron vert haché fin

15 ml (1 c. à soupe) de pâte de tomate

2 ml (½ c. à thé) de sauce chili

1 Mettre tous les ingrédients dans un bol et battre pour mélanger. Se conserve jusqu'à une semaine dans un bocal à couvercle vissant rangé au réfrigérateur. Donne 250 ml (1 tasse).

MAYONNAISE ORIENTALE

30 ml (2 c. à soupe) de cassonade

1 morceau de 2 cm (¾ po) de gingembre râpé

5 ml (1 c. à thé) de graines de fenouil

1 gousse d'ail écrasée

75 ml (⅓ tasse) de sauce soja

30 ml (2 c. à soupe) de vinaigre de cidre

2 jaunes d'œufs

2 ml (½ c. à thé) de moutarde sèche

175 ml (¾ tasse) d'huile végétale

10 ml (2 c. à thé) d'huile de sésame

2 ml (½ c. à thé) de sauce chili piquante

1 Mettre la cassonade, le gingembre, les graines de fenouil, l'ail, la sauce soja et le vinaigre dans une casserole et porter à ébullition. Baisser le feu et laisser mijoter à découvert 5 minutes, ou jusqu'à ce que la sauce ait réduit de moitié. Retirer du feu, passer au tamis et jeter les graines de fenouil. Laisser refroidir la sauce filtrée.

2 Mélanger les jaunes d'œufs et la moutarde au robot culinaire ou au mélangeur. Le moteur toujours en marche, verser graduellement les huiles végétale et de sésame, et mélanger jusqu'à ce que la mayonnaise épaississe.

3 Incorporer la sauce au gingembre, puis la sauce chili (au goût). Se conserve jusqu'à une semaine au réfrigérateur, dans un pot ou une bouteille.
Donne environ 375 ml (1½ tasse).

VINAIGRETTE TURQUE AUX NOISETTES ET À L'AIL

2 tranches de pain paysan blanc, écroûté

180 g (6 oz) de noisettes grillées

3 gousses d'ail hachées fin

Zeste et jus d'un citron

15 ml (1 c. à soupe) de vinaigre de vin blanc

125 ml (½ tasse) d'huile d'olive

45 ml (3 c. à soupe) de yogourt nature

1 pincée de sel de mer

1 Griller le pain jusqu'à ce qu'il soit doré, puis déchirer en petits morceaux et réduire en chapelure au robot culinaire. Ajouter les noisettes, l'ail et le zeste de citron, et broyer jusqu'à ce que les noisettes soient bien écrasées. Puis, le moteur toujours en marche, incorporer le jus de citron, le vinaigre et l'huile d'olive.

2 Finalement, ajouter le yogourt et mélanger brièvement. Assaisonner au goût et réserver. Accompagne bien les fruits de mer et le saumon poché froid, les pommes de terre bouillies froides, les haricots verts blanchis et les légumes croquants.
Donne environ 250 ml (1 tasses).

VINAIGRETTE DE BASE

175 ml (¾ tasse) d'huile d'olive

60 ml (¼ tasse) de vinaigre de cidre

15 ml (1 c. à soupe) de moutarde de Dijon

Poivre noir du moulin

1 Mettre tous les ingrédients dans un bocal à couvercle vissant et bien secouer pour mélanger. La base de nombreuses grandes salades qui se démarquent par la fraîcheur de leurs ingrédients.
Donne 250 ml (1 tasse).

SAUCE SATÉ INDONÉSIENNE

30 ml (2 c. à soupe) d'huile d'arachide

5 gousses d'ail hachées fin

½ petit piment rouge haché fin

75 ml (5 c. à soupe) de beurre d'arachide

22 ml (1½ c. à soupe) de pâte de tomate

45 ml (3 c. à soupe) de sauce hoisin

5 ml (1 c. à thé) de sucre

5 ml (1 c. à thé) de sauce de poisson

60 ml (¼ tasse) de cacahuètes écrasées

1 Chauffer l'huile et faire sauter l'ail et le piment environ 2 minutes, jusqu'à ce qu'ils commencent à ramollir. Tout en battant, ajouter le reste des ingrédients, avec 175 ml (¾ tasse) d'eau. Porter à ébullition, puis laisser mijoter environ 3 minutes, jusqu'à ce que la sauce épaississe légèrement. Délicieuse avec les tranches de poulet ou d'agneau froids et les nouilles croustillantes aux légumes asiatiques croquants, comme le bok choy.
Donne environ 250 ml (1 tasse).

VINAIGRETTE AU YOGOURT PARFUMÉE AU CARI

30 ml (2 c. à soupe) de ciboulette fraîche ciselée

1 gousse d'ail écrasée

175 ml (¾ tasse) de yogourt nature

30 ml (2 c. à soupe) de vinaigre de vin blanc

5 ml (1 c. à thé) de poudre de cari

1 trait de sauce chili

1 Mettre tous les ingrédients dans un bol et battre pour mélanger. La vinaigrette consacrée des Britanniques.
Donne 250 ml (1 tasse).

VINAIGRETTE À L'AIL RÔTI

1 grosse tête d'ail

15 ml (1 c. à soupe) d'huile d'olive

45 ml (3 c. à soupe) de vinaigre balsamique

10 ml (2 c. à thé) d'huile d'olive extra vierge

5 ml (1 c. à thé) de moutarde de Dijon

Sel et poivre noir du moulin

1. Préchauffer le four à 220 °C (425 °F). Séparer les gousses d'ail sans les peler. Remuer les gousses dans l'huile d'olive et placer dans un petit plat allant au four. Cuire de 20 à 30 minutes, jusqu'à ce que les peaux soient brunes. Sortir du four et laisser tiédir.

2. Lorsque les gousses ont suffisamment refroidi pour être manipulées, presser la pulpe tendre de chaque gousse et jeter les peaux. Réduire l'ail en purée avec 45 ml (3 c. à soupe) d'eau bouillante, le vinaigre balsamique, l'huile d'olive extra vierge, la moutarde, le sel et le poivre. Accompagne bien les salades de pommes de terre, de haricots verts aux noix grillées, de thon ou de saumon.
Donne environ 175 ml (¾ tasse).

VINAIGRETTE AU GINGEMBRE ET À LA SAUCE SOJA

1 morceau de 5 cm (2 po) de gingembre frais râpé

1 gousse d'ail écrasée

125 ml (½ tasse) de sauce soja

125 ml (½ tasse) d'eau

15 ml (1 c. à soupe) de vinaigre de cidre

15 ml (1 c. à soupe) d'huile de sésame

1. Mettre tous les ingrédients dans un bocal à couvercle vissant et bien secouer pour mélanger. Laisser reposer au moins 15 minutes avant d'utiliser. Se conserve de 2 à 3 semaines dans le bocal rangé au réfrigérateur. Bien secouer et porter à température ambiante avant d'utiliser. Donne 250 ml (1 tasse).

VINAIGRETTE AU PERSIL FRAIS

1 bouquet de persil plat frais

90 ml (6 c. à soupe) de vinaigre de vin rouge

2 gousses d'ail

250 ml (1 tasse) d'huile d'olive

Sel et poivre noir du moulin

1. Laver et sécher le persil. Passer le persil au robot culinaire avec le vinaigre et l'ail, jusqu'à ce qu'il soit bien haché.

2. Le moteur toujours en marche, verser l'huile en mince filet et continuer à mélanger jusqu'à épaississement de la vinaigrette. Saler et poivrer au goût; utiliser à température ambiante. Accompagne bien les légumes grillés à l'italienne, une roquette aux croûtons et aux copeaux de parmesan, des salades de tomates d'été au basilic et aux olives.
Donne 375 ml (1½ tasse).

VINAIGRETTE JAPONAISE AU GINGEMBRE ET AU MISO

60 ml (4 c. à soupe) de vinaigre de riz

15 ml (1 c. à soupe) de pâte de miso

1 morceau de 2 cm (¾ po) de gingembre haché fin

1 grosse gousse d'ail hachée fin

30 ml (2 c. à soupe) de graines de sésame grillées

6 feuilles de basilic émincées

1 ml (¼ c. à thé) de flocons de piment rouge

100 ml (3½ oz) d'huile d'arachide

1. Battre ensemble le vinaigre de riz, la pâte de miso, le gingembre, l'ail, les graines de sésame, le basilic et les flocons de piment, puis incorporer lentement l'huile, une petite quantité à la fois. Idéale avec les aubergines rôties au four, les nouilles hokkien et les légumes asiatiques sautés.
Donne 250 ml (1 tasse).

VINAIGRETTE CHINOISE AU GINGEMBRE ET À LA SAUCE HOISIN

45 ml (3 c. à soupe) de sauce hoisin
45 ml (3 c. à soupe) de vinaigre de vin blanc
45 ml (3 c. à soupe) de bouillon de poulet
15 ml (1 c. à soupe) d'huile d'arachide
15 ml (1 c. à soupe) d'huile de sésame grillé
15 ml (1 c. à soupe) de gingembre frais haché ou râpé
15 ml (1 c. à soupe) de sauce soja
10 ml (2 c. à thé) de moutarde au choix
1 pincée de sel

1 Réduire tous les ingrédients en purée lisse au robot culinaire. Saler si désiré. Utiliser immédiatement. Sinon, conserver au réfrigérateur jusqu'à 1 semaine; laisser reprendre la température ambiante et battre vigoureusement avant d'utiliser. Parfaite avec les asperges blanchies, les salades de nouilles asiatiques, les salades de bœuf émincé aux légumes et aux herbes asiatiques. Donne environ 250 ml (1 tasse).

VINAIGRETTE TIÈDE AUX ÉCHALOTES ET AU CITRON

4 grosses échalotes
2 gousses d'ail
45 ml (3 c. à soupe) d'huile végétale
Jus de 2 citrons
Zeste de 1 citron
45 ml (3 c. à soupe) de bouillon de légumes
Sel et poivre noir du moulin

1 Peler et hacher finement les échalotes et l'ail. Chauffer l'huile dans une petite poêle jusqu'à ce qu'elle fume. Ajouter les échalotes et l'ail et faire sauter environ 5 minutes, jusqu'à ce que les échalotes soient translucides.

2 Incorporer les jus et zeste de citron et le bouillon de légumes. Saler et poivrer au goût. Laisser mijoter brièvement. Retirer du feu et laisser tiédir avant d'utiliser. Accompagne bien les jeunes épinards ou la roquette, les tomates coupées en rondelles ou en quartiers, le poulet poché froid ou autre volaille. Donne environ 175 ml (¾ tasse).

VINAIGRETTE VIETNAMIENNE À LA LIME, AU PIMENT ET AUX HERBES

30 ml (2 c. à soupe) d'huile d'arachide
5 gousses d'ail hachées fin
½ petit piment rouge haché fin
75 ml (5 c. à soupe) de beurre d'arachide
22 ml (1½ c. à soupe) de pâte de tomate
45 ml (3 c. à soupe) de sauce hoisin
5 ml (1 c. à thé) de sucre
5 ml (1 c. à thé) de sauce de poisson
60 ml (¼ tasse) de cacahuètes écrasées

1 Battre ensemble la sauce de poisson, le jus de lime, 45 ml (3 c. à soupe) d'eau et le sucre de palme, jusqu'à dissolution du sucre. Hacher finement les piments avec l'ail et le gingembre, puis incorporer au liquide en battant. Laisser les saveurs se mélanger pendant 5 minutes avant d'utiliser. Accompagne bien tous les types de nouilles asiatiques, les salades tièdes garnies de fines tranches de bœuf et de châtaignes d'eau, ainsi que les salades de fruits de mer aux légumes asiatiques. Donne environ 250 ml (1 tasse).

INDEX